JN045449

コロナと世界侵略

支配者のレベルでモノを見よ！

内海聡 × ダニエル社長

内海　どんな本でもどんなネット情報でも、これが真実だと言われたら、それは違う、絶対にカモフラージュだと思っている。

それは浅はかな表面上の情報だ。裏にはもっと別の意図がある。

そういうものでないと、陰謀論者が言っている支配者のレベルには及ばない。

ダニエル社長　目に見えてわかるものは、もはやカモフラージュの可能性がある。例えば、コロナ、ワクチンでビル・ゲイツが……というわかりやすい話も、やっぱりカモフラージュですか。

内海　僕は昔から、ビル・ゲイツはイルミナティのPC部の課長と言ってきました。係長かもしれぬ。係長が代表取締役のようにしゃべるなと言ってきたんですけど、それを見てきた人たちが、「ビル・ゲイツが」とまた飛びついているのを見て、言っても無駄なんだなと。

ダニエル社長　ビル・ゲイツはいけにえ。

内海　ワクチンも、コロナも、今までずっと何百回、何千回もやってきたプログラムのほんの1つにすぎないのです。

内海　次はゲノム編集とかフェイクミートとか、そういうものにどんどん進んでいくことは、レール上、決まっている。

遺伝子組み換えとモンサントの役割は終わったから、とりあえず買収させておきましょうとバイエルに買収させたのです。

同じように、コロナも次が待っているんです。だから、日本人も次に対処するためにマスクを外したほうがいいんじゃないか。去年（2022年）の中で終わっているのに、まだ続けるなんてすごいですね。

僕は歴史から見るので、安倍元総理の殺人事件も、シンボリズム的なことも含めて、オマージュだと思っている。

内海　食は、薬と同じ構図なのです。陰謀論でよくたたかれる富裕層とか貴族が、歴史上、昔からどうやって儲けていたかというと、奴隷販売と兵器販売と麻薬販売です。コロナも食品も全部同じことをやっているんだということがわからないのです。

ダニエル社長　今の白砂糖は、ある意味、「砂糖」という名の覚醒剤ですかね。（中略）今の人は味覚が壊れているんですよ。

内海　僕は、社会毒の中では放射能と砂糖が2強で、その下に人工甘味料とかそういうのが入ってくると言っているのですが、単位当たりだったら人工甘味料は砂糖の何百倍も甘いですから、覚醒剤の成分を、砂糖よりもさらに強力にしたという感じです。（中略）支配者系の話で言えば、アスパルテームとか、アセスルファムとか、ネオテームとか、意図は同じなんですけれども、強力なタイプの人工甘味料は大体外資がつくっています。「ｔａｍｅ」は「奴隷にさせる、従わせる」という意味なので、アスパルテームは「奴隷にさせるアスパル」という意味です。

ダニエル社長　確かにコロナでみんなオンラインになって、いろんなビッグデータがネット上に出た。ある意味、これも奴隷販売のような話ですね。

内海　食品は麻薬が入り込みやすい。麻薬や覚醒剤を薄く入れておいたら、おまえら、喜ぶだろう、めっちゃ売れるぞというふうにやっている。丸出しで売ったら、今の時代、貧民は捕まりますから、どうやって入れ込むか。

ダニエル社長　添加物が世界でもトップクラスに認められている国、日本は、世界で一番麻薬漬けにされている国ですね。

目次

Chapter 3

第2部　日本の食事はなぜ世界で一番不健康なのか!?

Chapter 4

第3部 財閥、王族、貴族ら支配者たちの頭の中身(レベル)をもっと深く考察せよ!

Chapter 16

真相を抉るスモールトーク集 181

カバーデザイン　重原隆
編集協力　宮田速記
校正　麦秋アートセンター
本文仮名書体　文麗仮名（キャップス）

第1部

史上最弱のウイルス（コロナ）とうんこ雑巾（マスク）

Chapter 1

日本人は共産主義になりたい国民、管理された国民（グーミン）の群れである!?

内海聡はなぜ最近SNS、YouTubeで沈黙を貫くのか!?

ダニエル社長　どうもこんにちは。ダニエルです。きょうは、医師の内海聡先生にお越しいただきました。よろしくお願いします。

内海聡　初めまして。よろしくお願いいたします。

ダニエル社長　内海先生もヒカルランドで『コロナパンデミックの奥底』を出されていますので、対談できればなと思いました。

そもそも内海先生のファンの皆さんも、最近、何で発信が止まっているんだろう、何でＹｏｕＴｕｂｅも武道ばかり上げているんだろうと思われていると思います。最初はそこら辺からお伺いしたいんですが。

内海　今は、ＳＮＳには裏話みたいな話は絶対に出さないようにしています。

僕も何かしら医療業界とか、食べ物とか、環境のことを言ってきて、もう15年近くなったんですけど、最初は本もＳＮＳも同じことをやっていたので、よく大炎上もしましたし、それで名前が売れたんだと思うんです。

ご存じのように、２０２０年ぐらいから一気に縛りが強くなってきました。

コロナもそうですが、アカウントが止められるだけならまだましで、消されたり、消されそうになることが非常に増えたのです。

僕はＳＮＳのフォロワー数が多かったんです。

フェイスブックは１カ月止められるのが多いんです。

ＹｏｕＴｕｂｅも、最初は「スナックうつみん」というお笑い暴露番組みたいなものを持っていたんです。

ヒカルランド刊

普通にやってもつまらないということで、いろんな業界人とかインフルエンサーを呼んで、酒を飲みながら暴露するというのをやっていたんです。それが軒並み、これは広告違反です、何とか違反ですと、2020年からどんどんくるようになって、広告料ももちろん入らない。それどころか、次でアカウントを消されるというところまできた。どうするか、やっぱりもったいないよねということで、そこにあったコンテンツは全部有料のニコ生に移しまして、YouTubeは100%全部消したのです。白紙にリセットして申請し直した。そうすると、リーチが消えるのです。

ダニエル社長　永久BANリーチですね。

内海　もとに戻してから格闘番組みたいなものを始めたんです。格闘番組だったら潰されることはないだろうということでやっている。僕がやっていることの話題はそこにも入ってくるので、その辺を匂わせながら出す。それぐらいしかできないということで、やり方を変えました。全ては対策です。

ダニエル社長　最近、YouTubeチャンネルで武道とかそこら辺なのは……。

内海　格闘と料理とゲームですからね。料理は食の話をしたいから入れていて、ゲームはお遊び精神を出したいというのもある。

気とか格闘技のほうは、整体も含めて体の使い方のようなことで、結局、そこから医学の話になっていくんですが、そのままやっても教育ばかりだとつまらなかったり、またグダグダ言われかねないから、全然関係なさそうなお楽しみ系を入れています。

僕自身もそれを結構楽しんでいます。

ダニエル社長　最近の沈黙の理由がわかりました。

内海　ツイッターも消えてしまいました。

2021年には10万弱のフォロワーがいたんですけど、永久凍結になった（2022年に復活した）。

消された後で、もう一遍やり直したんです。

みんな結構見てくれていたから1日でフォロワー2万何千人になったんですけど、それも1日で潰れて永久凍結。

2回永久凍結になったのでもう無理ということで、ツイッターは僕の直接のアカウントはなくて、他人に僕の言いたいことを代理で投稿してもらっているんです。

ダニエル社長　今ある6万人ぐらいのアカウントは人に……。

内海　あれは内海塾のアカウントなんです。

内海塾はまた別の主催会社があって、僕が定期的に講義をしている会社がツイッターを出しています。

それとは別に僕のマイナーアカウントみたいなものはあるんですけど、そっちは今2万6000人ぐらいかな。

見ている人は少ないんじゃないですか。

そうしないと、何かしゃべったら消されちゃうんですよ。

もう見られてないかなと思って、たまに何かを書くと、また止められる。

今年の前半はそういうのがありましたね。

だから、とにかく「なあなあ」で済ますという感じでやっています。

ダニエル社長　もろもろお聞きする前に、その立ち位置というか、キャラ感を伺いました。「グーミン」みたいに切り捨てるようなキャラ設定は、どんなことを考えてやっているんですか。

内海　半分、素（す）ですよ。
もともと個人的には虚無主義を名乗っているぐらい、世の中は全てクソみたいな思想を子どものころから持っていたのです。
業界も、患者もそうだし医療現場もそうだし、どっちから見てもそうなんです。
とにかくみんな表面上で、ごまかしてばかりというのをいろんな角度から見ていた。
現場で実体験が多かったのもあるので。
結局、それを情報として出していくところからSNSが始まりました。
人にいい情報を教えてあげようとか、そんな気持ちはさらさらない。
僕が最初にフェイスブックをやったときは、毎回大炎上でしたよ。
芸能人も顔を出してきて大炎上みたいなことが普通にいっぱいありましたね。
そういう感じだから、素です。ハッパをかけているでしょうとか、愛の裏返しとか、
勝手に言う人がいますけども、そういうわけではないですよ。

ヒカルランドでこれを言うのはどうかと思うが、「陰謀論は要らない!」

ダニエル社長　皆さんがこの2年間ぐらい気になっているコロナネタでいろいろ伺い

ます。

内海　まず、リーチがかかっているんですよね（笑）。

ダニエル社長　コロナネタに関しては、ＹｏｕＴｕｂｅではさすがにカットします。

内海　これはニコ生か何かで？

ダニエル社長　ニコニコで、ヤバイところはカットしたりピー音を入れる。僕もここ2年半でノウハウがだいぶたまってきたので、うまい感じにやりたいと思います。

内海　僕でＹｏｕＴｕｂｅのリーチに上がってしまったら困るな。

普通にしゃべっていいんですか。

ダニエル社長　僕は閉鎖空間では普通にしゃべるんですが、オープンだから。

ニコニコに関してはわりと閉鎖空間なので、ヤバそうだなというところはニコニコで流したいと思います。

内海　わかりました。思っているところをしゃべります。

何も包み隠さずに言っていただいて大丈夫です。

ダニエル社長　まず、コロナに関してのこの2年半ぐらいの内海先生の感想というか、現時点での総括というか、日本の社会を見ていて、ザックリどんなことを感じますか。

内海　今まで言っているとおりで、もう終わっているな、どうしようもないなと。「プランデミック」みたいな言葉を使う人がいます。

僕はこういう言葉は使わないんですけど、言いたいことはわかります。

茶番とウソばかりというのはそのとおりだと思うんです。

「新型コロナ」という価値観というかカテゴリーというか、何でわざわざこんなことをやるのか。

仕掛けている人がいるという話に必ずなると思うんですけど、僕は2022年から、もう次のステップに進んでいると思っている。

日本はそこからも立ち遅れている。

コロナが終わっても、それで世の中がよくなることはないんですけれども、そこさえも立ち遅れているから、2周遅れみたいなイメージが日本の状態という感じです。

ダニエル社長　コロナの1つの問題云々というよりも、国全体で2周遅れぐらいヤバイかなという感想ですか。

内海　そうですけど、そうなるのも理由があって、一番の問題はやっぱり国民そのものだと思いますよ。

僕は政府とか財閥のせいにするという論法が嫌いなのです。最近、「グーミン」という言葉は使わないんですけど、昔は使っていたのも、そういう意味合いです。

日本という国を売っていく。

土地も産業も会社も全部そうだし、システムとしても管理をどんどん強めていく超管理主義というか、共産主義を推し進めていきたいというときに、コロナというツールはとても都合がよかったと思うわけです。

もちろん、そのことを見抜けない国民の問題もあるんですけれども、見抜く・見抜かないより、どちらかというと共産主義になりたい国民、管理されたい国民。陰謀論でなくて、社会のことをある程度理解できたとしても、管理されたり共産主義的な社会のほうが楽だと思っている国民のほうが、圧倒的に多いと思いますね。

ダニエル社長　確かにそうですね。コロナのいろんな規制を見ていても、ルールというか、誰かに言われたことに追随していきたいという人たちが多いと感じますね。

内海　マスクもそうだけど、いわゆる同調問題というやつで、結局、共産思想、超管理主義的な思想のなれの果てです。

今、「見られたくない」とか普通に言うんですから、自分を出していかないという思想のなれの果てなのです。

これも戦後、アメリカを中心に70年以上刷り込んできた思想ですけど、むしろそれをありがたがっているのがほとんどです。

その意味では、やりようがないと思っています。

ダニエル社長　抵抗して、コロナ嫌だというよりも、この流れに甘んじて、歓迎している国民のほうが多いと思います。

内海　問題だと思います。

僕は、陰謀論は要らぬとよく言っているんです。

ヒカルランドでそれを言ったら怒られそうだけど（笑）。

そういうシステムがあるのはわかるんです。だけど、二十何年前から国民がみんな「ちょっとおかしい」と発言するだけで、そのシステムは変わり得る可能性がある。

だって、富裕層は人数がめっちゃ少ないから、おかしいと思う人が増えれば変わると言ってきたはずなのに、全然そういう方向に進んでいない。

インターネットを見ている人たちは、新型コロナでも何でもいいが、何か時事問題が出てきたら、その背景にあると自分たちが信じ込みたい真実というやつを探すんです。

「それが真実だ！　俺たちは正義だ！」とネットでバーッと言っておけば、俺たちはすばらしいんだみたいな感じになっているけど、誰も匿名の押し売りたちとか引きこもりの言うことなんか聞かぬ。

そういう状態をみずからつくっているように思うんです。

そんな陰謀の話はどうでもよくて、日々の行動でその人がある程度信頼されていれば、あまり知識のない周りの人も、話を聞きます。

そういうのが広がっていかないのは、それを言っている人たち自身の問題です。

もちろん、何も全然考えていない人が問題なのはわかりますけど、僕も含めて、そういうふうに言っている人間たちの考え方とか人間関係、生き方の問題にまで関係しているので、陰謀論のせいにしていてもしようがないという言い方を僕はしています。

ダニエル社長　確かにそれはありますね。僕のＹｏｕＴｕｂｅチャンネルのコメントの日本語を見ていても、この人、社会的にたぶん結構あかんだろうなという人がいるんですよ。

コロナをヤバイという人は、そもそも人としてヤバくない？　そのような人が結構集まりやすいネタというところがあるなと感じています。

この人が幾ら発信したところで、周りの人は誰も聞かないだろうなという発信とかコメントをしちゃう人が結構多いというイメージですね。

内海　大炎上ばかりしている僕が言うのもどうかと思いますけど、一応そういうことはよく言っています。

Chapter 2

コロナは人の手が入ったウイルスではないか、と思っています!!

新型コロナウイルスが存在しないという論について

ダニエル社長　このＹｏｕＴｕｂｅチャンネルも、ネタによって初めて訪れる人が多いので、改めて医学的ないろんなデータから、個別の問題をお聞きしていきたいのです。

今2年半以上たって、重症化とかいろんなデータも出てきたところで、コロナ自体の病原性の強さは、インフルエンザとか風邪と比べて、端的にどのぐらいの威力だと考えていますか。

内海　もともと最初からめっちゃ弱かった。

僕の本でも「史上最弱のウイルス」と書いていますが、相手にする価値もない。

ちょっと細かい話ですけど、そもそも新型コロナウイルスは本当に存在するのかどうかというところから議論が始まったはずなのです。

チャイナ論文という論文が出て、新型コロナウイルスがこの重症の患者をつくったという話で、それをメディアが一気に広めて、ヤバイとなったのです。

医者が真面目にその論文を読んだら、これ、ウイルスのせいじゃないんじゃないか、細菌感染、2次感染でしょうという論文内容だった。なのにおかしい論文をもとにウイルスがヤバイというふうに決めつけて誘導した。

それがメディアに乗っかって、こっちから見た

PCRとコロナと刷り込み
人の頭を支配するしくみ
新型コロナウイルスが存在する証明はなされてない！
なのになぜ、ワクチンと称する「謎の遺伝子」を注射するのか？
大橋眞
細川博司

PCRは、RNAウイルスの検査に使ってはならない
PCRの発明者であるキャリー・マリス博士（ノーベル賞受賞者）も、
PCRを病原体検査に用いることの問題点を語っている。
大橋眞

らエーッ？　という感じで広がっていく段階で、以前の新型インフルエンザとか、もっとわかりやすいのは豚インフルで、僕は昔から「あれはヤラセだった」とずっと言ってきたので、また豚インフルと同じことをやろうとしていると思っていたのが正直なところでした。

そこから議論が分かれまして、新型コロナウイルスは証明されていないから存在しないとひたすら言う。

大橋眞名誉教授がわかりやすいんですけど、キメラウイルスとしてつくられたとか、そもそもウイルスが存在するかどうかも怪しいと言う。

そこの理屈はわかるんですけれども、その他いろいろな情報があります。

遺伝子検査ももちろんそうだし、広め方もそうだし、中国のどこから出てきたかとか、アメリカとの関係とか、いろんなことを考えて、世界のいろんな有識者の意見を総合して、私は、ウイルスがいないのではなくて、人工ウイルスではないかと思う。

人の手が入っているウイルスなのではないか。

もし自然発生したものとしても絶対軽い。

こんな症状の軽いものがこんなに怖いとされていることを考えたら、たぶん誰かしらが意図を持って広めている。

軽いウイルスのほうが広がっていって、波及力が強いわけです。

重い症状をつくるウイルスは本当に隔離しなきゃいけない。

映画みたいに隔離しなきゃいけないから、本当に遮断されてしまうので一気に消えてしまうんです。

だから、広がることはない。

軽症のほうが世界に広がっていくとウイルス学でもよく言われます。

それを王道のようにやっているから、やはり非常に軽いウイルスだと思います。

さらに言うと、2021年に書いた『医師が教える新型コロナワクチンの正体』でも書いているんですけど、もともとコロナウイルスの原点はコウモリを宿主とするウイルスです。

そこから始まっていて、人間に伝播したことになっているんですけれども、今回の新型コロナウイルスは、そのコウモリのウイルスに系統は非常に近い。

原始のもともとのウイルスに近いんですよ。

ＳＡＲＳのウイルスにも近いんですけれども、それよりもコウモリのウイルスに近い。

また新型コロナウイルスは感染する、体の中に入り込んでくる場所があるんですけども、そのＡＣＥ２レセプターの鍵をあけて入ってくるのです。

そこを規定する領域は、アルマジロみたいな動物（センザンコウ）の持つコロナウイルスの塩基配列があって、その組み合わせになっているんです。

コウモリとセンザンコウの組み合わせでコロナウイルスになっている。

そんなの、自然でいきなり起こるわけないのに、御用学者は収斂進化と呼んでいる。

多くの人が疑問をもちました。

そして世界中の論文の中で、エイズの遺伝子配列に近いんじゃないかとか、こんなことは自然界では絶対に起こらないと言われていて、リュック・モンタニエ博士とかアメリカの生物兵器の第一人者ボイル博士も、人工ウイルスではないかと言っています。

世界の医学論文の中でも、そういう考察がされていまして、自然形態ではあり得ない。

　人工ウイルスという言葉はどうしても陰謀論に聞こえちゃうから、医学論文ではあまり使わないのですが、ニュアンスを出している発表や論文も出ていますので、僕はやっぱり人の手が入ったウイルスだと思っています。

ダニエル社長　いろんな医者の中でも、ＹｏｕＴｕｂｅやＳＮＳでも、そもそも新型コロナウイルスは存在証明がなされていないと言う人もいれば、自然発生したものと言う人もいれば、人工的につくられたものと言う人もいると思います。

　内海先生的には、人の手が入っている可能性が濃厚かなと感じますでしょうか。

内海　存在証明がなされていないという人の、言いたいことはわかるんです。

　行政はその言い方で返してくるので。

ダニエル社長　よく出回ります。

内海　よく出回る言葉ではあるんですけれども、それを広げた解釈をして、ウイルスがそもそもが存在しないとか、ウイルス自体の存在証明がされていないと言う人もいます。

　これも言いたいことはわかるんですけど、専門の医学をやっている人間から見たら、またドシロウトがアホなことをしゃべっているなとなります。

でも、言いたいことはわかるんですよ。

なぜかというとウイルスはすごく小さい定義なんです。

電子顕微鏡でないと見えないぐらい小さい。

何のターゲットもない中から電子顕微鏡で１個探すのは、すごく大変なのです。というか、現実的にはできないのです。

実際には細胞培養という方法を使うんです。

ウイルスは半分生命体、半分生命体でないと言われてきたのですが。

生物体の中に入って、生物体が弱いときに中で寄生して増えていく特殊物質と思われているので、細胞がないと増えていかないわけです。

細胞はウイルスよりも圧倒的にデカイ。

その細胞の中に１つだけウイルスがいても同じように見えないのですが、ウイルスが増えやすくするモデルの細胞は、人間の今の科学でつくれる。

そうすると、細胞にウイルスを入れたら、どんどん増えていきます。

増えた細胞を電顕で見れば、１個だけよりは、すごく簡単に見られるのです。

それで、ウイルスがこれだけぐちゃぐちゃといいますから、最初からウイルスがいたのでしょうと推測しているだけなんです。

1つだけのウイルスをしっかり見つけるのは分離証明といいます。

分離証明ができていないと言っているのは当たり前の話で、医学界全般が今までちゃんとやったことがないのです。

もっと言えば、できないのです。

本当は誰でもみんなやりたいのですが、できない。

それはロックフェラーの陰謀でできないのではない。

行政としても、細胞培養としては証明されていますと言っている。

それを不十分だと言う人もいるかもしれないし、分離証明という言葉が出てきたら、行政は分離証明はできていないと言うしかないのです。

では、これがウイルスがいない証明になるかというと、それは違います。

でも、ここで増えているウイルスは何かを逆証明しないと、本来は医学の議論としては成立しないのです。エクソソームとか言ってる人がいますけど大きさも違うし科学の初歩さえ守っていない。

同じウイルスは同じ検査所見を必ず出して、感染した人は同じような症状を出すから、こういう疾病群があるんじゃないかと積み重ねてきたわけです。

今、それを無視するようになってきたのです。

ネットのインフルエンサーもそう。

医者でさえそういう人がいるから、あなた、昔から細胞培養を勉強していなかったんですかと聞きたい。

今、新型コロナが話題になったから、ころ合いよく自分を売り込むためか何か知らぬけれども、ウイルスはそもそも存在しないんだと言う。

勤務医をやっていたときの話は無視しているから、かなりおかしい話になっていると思います。だいたいB型肝炎もC型肝炎もＨＩＶもヘルペスも全部いないことになります。

僕自身は、もちろんこのウイルスいない説には目を通しています。

どういうことを言いたいのかは、それなりにはわかっているつもりですけれども、だからといってウイルスは何もないとか、何でも陰謀だと持っていくのは、今まで頑張ってきた、おカネをもらっていない普通の研究者の研究を全部無視して、ウソ扱いにするのと同じになってしまう。

ほとんどの人はロックフェラーの資金をもらっていないから、そういう言い方をするのもどうかなと思っています。

新型コロナの話がおかしいと言うときは、ウイルスがいる・いないでなくて、医学の基礎から、日々の診察、臨床の初歩から話をしないとダメだと思っています。

ダニエル社長　厚生労働省からのウイルス存在証明の文書がないというSNSは、定期的にバズっていますね。

内海　それで全てのウイルスはいないという話になる。

C型肝炎とかB型肝炎とか、ほかにもウイルスはいっぱいいるけれども、あれは何で同じ検査所見になるのか。

その後になる症状も全部同じように予想がついていて、実際そのとおりになりますよ。あれは何なのか、もっと整合性がつき臨床にも合致する見解があって、はじめて議論が成立するんです。

僕はそれを病院で見ていました。

僕も年がいって知識がちょっと増えたと思いますけど、それでもC型肝炎とかB型肝炎のウイルスを否定するのはしんどいと思う。

新型コロナも同じように、積み重ねてきたウイルス学をネットの軽い情報で全否定するのはやめてもらいたいなと思います。

そんなことをしていたら、誰も聞かなくなると思う。

だからこそ、ＰＣＲの話になっていくんです。

ワクチンは全部効かないし、メリットは？　と問われれば「ない」という他ない!!

ダニエル社長　先生の『新型コロナワクチンの正体』を読ませていただきました。今回のコロナワクチンのそもそもの技術とか、その中で使われている成分の危険性も書かれていましたが、ｍＲＮＡワクチンの全体像というか、メリット・デメリットはどんな感じですか。

内海　正直言って、メリットはないと思います。
僕は、ｍＲＮＡワクチンが出る前から、全てのワクチンには効果がないと断言してきて十何年世界最強のアンチワクチンですから、ｍＲＮＡワクチンだろうが、ウイルスベクターだろうが、不活化ワクチンだろうが、生ワクチンだろうが、全部効かない。ですから、メリットと言われたら、ないとしか僕の口からは言えない。

ダニエル社長　メリットはゼロでしょうか。

内海　ゼロだと思います。

ワクチンは何で効かない話になるのかを考えないといけない。

ワクチンは皮膚から注射を入れます。

免疫学の勉強をするのと同じなんですけど、僕らの免疫は皮膚からウイルスが入ることを前提にしていないのです。

感染はほとんど粘膜で起こる。

口から入ると喉も胃も腸もそうだけれども、胃腸風邪になる人も普通の風邪になる人も、粘膜からウイルスとか細菌が入っていく。

粘膜上でさまざまな免疫細胞や免疫システムが働いて、連絡をとり合う。

例えば、こいつが攻めてきた。

だから、こいつの服装や形は全部覚えましたということで対応していく。

ここはすごく微妙な連絡システムになっていますから、それが狂うとうまくいかない。

例えば城攻めのときに、戦う兵士もおれば、藁や油や弓矢を用意する兵士も、連絡兵士もいて対応する。

そうやって体の中を守っています。

注射でウイルスがボンと入ってくることは、人体で最も重要な粘膜上の免疫を全部すっ飛ばして入ってきますから、血の中にいきなり放り込んだ感じになります。

ワクチンのやっていることは、城の上からヘリコプターで死体を3体ぐらい投げ込んだこととほとんど一緒です。

本来、異民族が攻めてきて、どんな攻め方をするかを全部覚えたら、次に攻めてきたときに対応できるけれども、そうではなくて死体を投げられた感じになっていますから、これは攻めてくるのと違う。

いきなり入り込んできたから、体はわけがわからなくなるのです。戸惑っちゃう。

それに対して覚えたふりをする。

ワクチンで抗体をつくったと言っていますが、あれはニセ抗体なので効かない。

てきた数字にすぎない。

医原病は時間全体を見て考えないといけないので、もうちょっと長期的に統計的に見なくてはいけない。

1800人は条件はちゃんと守っていないんですけど、日本は大体2日以内に死んだらその薬の影響があると認めてやってもいいかもね、2日以上だったら薬は関係ないでしょうと考えるのが、PMDA（独立行政法人医薬品医療機器総合機構）の基本的な指針なのです。

でも、ワクチンはタイムラグがあるので、3日とか4日、あるいは1カ月とか2カ月というタイムラグで体に問題を起こすことが多いんです。

それは長期的に見なきゃいけなくて、例えば1000万人に打った後に、1カ月とか、1年とか、5年というスパンで見ていって、そこに有意差がないかどうかを確認しなきゃいけないのですが、絶対にやってはいけないことになっているので、わからない。

そうしたらずっとわからないので、ヒントにするために一番参考になるのが超過死亡です。

超過死亡数は、平年に比べてどれぐらいの人が死んでいるか。

それは社会事情によっても当然変わるので、大震災とかあれば超過死亡が増えるに決まっている。

病気だけでは決まらないけど、何か大きい天災がないのに死亡数がボンと増えたら、その1年にやっていること、その1年の前半にやっていること、去年の年末にやっていることの影響がデカイという推測になる。

新型コロナが流行るといっていた２０２０年は超過死亡が増えなかった。むしろ減った。

たぶん病院に行く人が減ったから超過死亡が減ったと私は思っています。

それが２０２１年で、７万人ぐらい超過死亡が増えている。

何で２０２１年にいきなり前より7万人多く死んだかという説明ができないのです。

国が発表している新型コロナの死亡者数（この数字もウソですが）とか、経済的なこと、自殺した人の数を含めても7万人なんて全然いかないから、その8割、９割のレベルの数は別の理由でお亡くなりになり、それが超過死亡を増やしている。

それは新型コロナでやったことが一番の理由だと推測されますから、第一候補はワクチン、その次はマスクのし過ぎが何かしら病気の誘発を招いている。この2つ。でも、1番はワクチンです。

ダニエル社長　では、今厚労省が発表されている1800人ぐらいの死亡は、あくまでも現場の素人がちょびっと報告したレベルなんです。

内海　まさに氷山の一角です。

ダニエル社長　超過死亡の7万人を考えると、8割ぐらいは……。

内海　5~6万人ぐらいはワクチンで死んでいると思っています。

去年（2021年）は例年より超過死亡が7万人も増えました。

それと比べて2022年の1月から6月の半年だけでもさらに4万人ぐらい増えているので、もっと増えているのです。

何でそんなにどんどん死んでいくんですか。

ちゃんと長期的に見ないから、隠蔽する気満々です。

ダニエル社長　コロナの死亡でここ2年半ぐらいの累計で3万人弱と発表されていますけれども、それのさらに2倍、3倍、ワクチンで死んでいる可能性もあるということですか。

Chapter 3

ＰＣＲが最大の詐欺で、無症状感染という概念を広めたのは、巨万の富を生み出すからです!!

コロナは診断体系がおかしい！　ＰＣＲに頼るな！

内海　さらにそもそも論でいきますと、コロナは診断体系がおかしくて、ＰＣＲの話に戻りますけれども、今までのウイルス疾患はＰＣＲにそんなに頼らないで診断してきた。

そもそも風邪で終わっていたから、ウイルスを見つける必要もなかった。

インフルエンザぐらいですね。

もともと僕らも病院のときは、ＰＣＲに頼るなと教授にもずっと教えられていましたからね。

今、何で医者がそれを忘れているんだ。

知っている人も少しいるんですが、言ったらハブられるからというのが多いと思います。

ウイルス感染の診断は、まず問診で特徴的な症状があって、採血しても炎症反応はほとんど出ません。肺炎となるとそれが高い。

肺炎であってもウイルスにかかわるものは、炎症所見がない場合もある。

それぐらい特徴的な検査所見を示す。

さらにその後、レントゲンとかを撮って、肺炎になるかどうかをちゃんと見て、その後、ＰＣＲをするんだけれども、除外診断をしないといけない。

要するに、新型コロナウイルスを判定できるものがあるとすれば、これとインフルエンザとほかのウイルスと、それなりに調べて、全部陰性になって、これだけ陽性になったら除外診断をしたことになるので、このウイルスだろうと診断する。

そうしたら、どういう治療をすればいいかを考えて、それに対して反応性があるかを見る。

これが臨床の初歩であり、医者なら誰でもやるはずのことです。

これを新型コロナが、何の症状もない人もＰＣＲをやるというふうに変えたのです。

これが最大の詐欺で、いわゆる無症状感染というインチキ病名です。

無症状感染という概念を広めたのは、それが巨万の富を生み出すからです。

２０１８年に健診でいきなりインフルエンザの検査をされて、「君はインフルエンザの検査が陽性だから、熱も咳もないけど、あしたから1週間休んで」と言われたことはないですよね。

ダニエル社長　ないですね。

無症状感染という言葉はコロナで流行りましたね。バズワードになった。

内海　感染の定義を守っていないわけだから、今の感染者数というもの自体が、そもそもウソなんですよ。

それは死亡者数も重症者数も同じです。

ここまでは診断体系の問題です。

さらにＰＣＲそのものの問題もあるのです。

ＰＣＲは別に診断法ではなくて増幅法なので、1、2、4、8、16、32、64、１２

8と、どんどん倍、倍にしていくのです。

それを30回、40回やったら、1兆、2兆というレベルになるから、ウイルスがいたのかなとある程度見えてくる。

元々は実験室の実験として使う方法で医学検査には向いていません。

ウイルスはどこにでもいますから、鼻毛にウイルスがついていても、別にこれは感染しているわけではないんです。

そのまま死んでしまうというか、何もないまま終わってしまう可能性のほうが大ですが、これも拾ってしまう可能性があるのです。

だから、増幅数も気をつけなければいけないんです。

うちも病院だから検査会社が当然入っているので、うちはやりませんけど、PCR検査はうちでもできます。

2022年になって検査会社に聞いたら、今Ct値は40と言われました。

世界の基準値はずっと大体28とか30ぐらいなんです。日本は多くて35と言われたのです。
1、2、4、8……を35回やったら兆のレベルにいくので、それぐらいやったら、鼻毛についているものでも拾ってしまうわけです。

本当に新型コロナウイルスにかかっている人は、鼻とか口にウイルスがいっぱいいるので、検査でとったら何百匹もついているイメージです。

そうしたら、増幅数を少なくしても陽性になるわけですね。

だけど、Ct値40だったら、ウイルスが1つついてもダメです。

ダニエル社長　鼻毛に新型コロナウイルスが1つついていたら、それを40回増幅して、兆のレベルになるんですね。

内海　ほら、いたでしょうとなっちゃう。

だから、何も問題がないのに新型コロナウイルス感染者だと言われて隔離されちゃう。

こんな話は、今までの歴史上、見たことも聞いたこともないですよ。

PCRの検査会社が、めっちゃ喜んでいるわけです。

に●たんクリニックも。

ダニエル社長　この中にも、に●たんが……。

内海　載っているんだ。それ、名誉棄損にならないですか。

ダニエル社長　なるかもしれない。何社も載っているので刺されそうです。

内海　出して、名誉棄損訴訟を起こされて、その裁判を全部公開する気概があったほうが面白いかもしれません。

ダニエル社長　そのぐらい炎上しないと、誰もこの問題に一般の人たちが疑問を持たないと思います。

ありがたがってＰＣＲを受けて、アマゾンギフト券をもらってという感じがまだ続いちゃうのかなと思います。

内海　恐怖心をうまく利用しているのがありますね。

日本人は島国なのもあると思うけれども、恐怖心が強くて、弱っちい感がある民族なので、ウイルスを早く見つけたら予防になると思っているわけです。

僕らの医学で考える予防は、そのウイルスを早く見つけるかどうかはどうでもいい。その辺にいるから。

それよりは、体に入ってこないような力を持つ。免疫を高めるほうが予防になるので、発想が全然違うんですね。

実際に病院の仕事をしていたらわかりますけど、殺菌しても、どれだけガウンを着ても、何をしても絶対に防げない。

必ずＭＲＳＡ感染症とか結核は院内で広がっていきます。

それもレポートを書かなきゃいけないんですけど、何をやっても防げない。

どんなに殺菌しても消毒しても無駄です。

殺菌・消毒しても、次にどこかをさわったら終わりです。何の意味もない。

逆に皮脂をとって、皮膚の防御ラインを壊してしまう可能性がある。

皮膚にもいろんな雑菌がいるのですけど、この雑菌は自分たちの身がわりになって、ウイルスにかかってくれる可能性がありますから、助けになってくれているところもある。

殺菌・消毒はそれも全部壊しちゃうので逆効果になっています。

ダニエル社長　飲食店とかいろんな施設にアルコール消毒が置いてあって、みんなパシャパシャやっているのはむしろ逆効果だと思います。

内海　みんなかかりたいんだなと思って見ていますよ。飲食店では言いませんけどね。

日本人はこのまま100年マスクをしている!?

ダニエル社長　マスクに関しても、誰かが菌を持っているかもしれないという詐欺まがいのところから始まったと思うんです。

マスクのデメリットはどんなことがありますか。

内海　それを言い出したら切りがないです。

殺菌思想のなれの果てなんでしょうけど、さっきのワクチンの話と同じように、マスクにもほぼほぼメリットがない。

一般人がマスクのメリットと思っているのは、まず飛沫を防ぐことです。

唾を防ぐというイメージで捉えていると思うんです。確かにそういう面もあります。

本当に飛沫を防ぎたいのであればマスクをするのはあり得る話だと思うんですが、2022年ぐらいから世界中で言われるようになりましたし、厚労省も認めたのかな、新型コロナウイルスは空気感染らしいんですよ。というか全ての風邪はエアロゾル感染です。

空気感染ということは、飛沫だけを防いでもあまり意味がない。

マスクをサッカーゴールのネットに例えると、ビー玉を投げたとき、サッカーゴールのネットで防げるわけないんです。

ウイルスのほうがもっと小さいので、マスク自体には、ウイルスが入ってくるのを予防する効果はない。

さらにスキューバダイビングのときもそうだけれども、ちょっと隙間があいていたら水が入ってくる。

陰圧がかかりやすくなるので吸い取りやすくなってしまうから、結局のところ、外から入ってくるものを防ぐことはできない。その意味でも、あまり意味がない。

非常に小さいメリットしかない中で、デメリットがすごく大きいのです。

一番は、マスクをしたほうがかかりやすくなることです。

ウイルスとかばい菌が不活化して死んでしまうのに一番いいのは空気なんです。

だから、換気が大事なんです。モノについているほうが、ウイルスもばい菌も生き延びやすいことがわかっている。

これは世界のさまざまなデータでわかっているのです。

その中で一番生き延びるのはマスクだということがわかっている。

通常、こういう台の上にいるウイルスが不活化するのに大体3日ぐらいかかる。

空気は3時間ぐらいと言われていますが、実際にはもっと短いんです。

マスクは大体7日間ぐらいと言われている。

人間は呼吸していますから水蒸気も入っている。

ばい菌もウイルスもマスクで培養しているみたいなもので、本当にグチャグチャです。

マスクを1分ごとにかえるのだったら、まだ認めますけど、下手すると毎日同じマスクを使っているわけです。

飯屋に行ったらマスクを外して、ご丁寧に透明のフィルムの中に入れ込む。

入れるときも手でさわっているし、そこで寝かしておいて、もっと菌が増えてくれないかなと培養している。

そのマスクを出して、また着けるということは、マスクで飼っているウイルスもばい菌も、体にもっと来てほしいですと言っているようなもので、むちゃくちゃなことをしている。

これでは全然感染予防にはならないんです。

今「マスクをしましょう」と言っている御用学者も、２０１９年より前は「マスクでは防げませんよ」と言っていた。当たり前の話なのに言わない。

マスクで酸素を吸えなくなる。

酸素が入ってこなくなると免疫も下がり、いろんな問題が生ずる。

二酸化炭素が増える。ミトコンドリアの活性が落ちる。

結局、病気を増やしている。

僕は「うんこ雑巾」と呼んでいるのですが、うんこ雑巾プラス空気を閉じ込めている。

呼吸できなくしている。それは全ての病気が増えますよ。新型コロナももちろん。

マスクをしているから新型コロナは終わらないというイメージです。

今、海外はほとんどみんな外しているのに。次のステップに進んでいる。

本当はみんな外したいから、罰金制のときだけはしようがなくしていたけれども、罰金がなくなった瞬間、みんな外した。

日本は罰金もないのにみんな外さないから、相当新型コロナが大好きな民族だなと思います。

ダニエル社長　相当すごいと思います。

僕は2日前までフランスにいたんですけど、屋外と電車内でマスク率を一応カウントしていたんです。

500〜1000人に1人、マスクしているぐらいの状態で、本当にコロナの「コ」の字を忘れていた。日本に帰ってきて、すごいなと思って。

内海　みんなしていますからね。

ダニエル社長　屋内ではまだ99・9%になりますね。

内海　電車の中ではみんなしているものね。

すごいことだと思います。本当に意味ない。

あとは精神面かな。

化粧をしなくてもいいとか、顔を見られたくないというのが多いです。

もともとマスクは、昔は奴隷を黙らせるような意味合いもあったのです。

主張できない。自分の姿を見せない。昔からマスクしてサングラスをつけるのが犯罪者の格好だけれども、その定義を変えてしまった。

マスクをずっとしていると、精神的には、黙っていないといけないという深層心理が働くと思うので、これもある種の奴隷化と言えます。

ダニエル社長　確かに没個性感というか、マスクしていると存在していないような気楽さが発生しちゃいますね。

内海　日本人は目立ちたくない人が多いので、マスクしているほうが目立たないから、自分を隠しているからちょうどいい。

顔を見られたくないというのが本当に多いですね。

ダニエル社長　ゆとり世代とか、Z世代とか、いろいろ世代がありますが、コロナで小学校や中学校でマスクをして、前を向いて黙食する。

これを3年間続けたコロナ世代は、5年後、10年後、どんな大人になっていくと思いますか。

内海　何もできなくなるんじゃないですか。

おかしいと思いながら我慢しているんだったら後で爆発するから、まだましですけど、むしろ普通だとか、本当に必要だと思っている子どもが多いですから、そういう子は自己主張とか目立つこともできなくなっていくと思います。

ダニエル社長　ここ1年ぐらい、東京ではノーマスクで絡まれることはないと思うんですが、マスクをしている子どもからの非難の目が目立つようになってきました。「お母さん、あの人、マスクしてないよ」というような子どもが顕著です。

内海　僕の講演に来るような人は大体マスクをしない人ばかりですが、一般のレベルでも、大人はするけど子どもにはマスクをさせない人が結構多かったと思うんです。

しかし今言われてたみたいに、子ども側の圧力が強くなっている。

子どもがマスクをするようになって、むしろしなきゃいけないと子どものほうが思っていて、大人に対して「あの人、してない」みたいなことを言うケースは、僕も増えているように思います。

ダニエル社長　今になって増えてきています。

内海　危ないわ。刷り込みが成功しつつある感じですね。

ダニエル社長　ちなみに今回のコロナだけでなく、サル痘とか、別のウイルスが何年後に、若しくは直近に再度来たら、日本はどんな反応になると思いますか。

内海　また同じパニックを起こして、みんな閉じこもって、ひたすら殺菌してみたいな感じになるんじゃないですか。

僕は最初から「このまま１００年マスクをし続けると思います」と言っているので、

当たって悲しいわ。

　世界でまだマスクを一番しているのが日本です。１００年、本当に続くかわかりませんけど。

ダニエル社長　でも、一定数はしてそうですね。

内海　コロナがなくなったと言っても、しているような気がする。
テレビのアンケートみたいなものを見たことがありますけど、コロナが終わってもマスクをするという人が４分の３以上いたような気がします。

ダニエル社長　理由としては何があったんですか。

内海　ほかのウイルスが怖いとか、あとは別の理由。顔を見せたくないとか、化粧をしなくてもいいとか、花粉症とか、ＰＭ２・５などの化学汚染物質もあるからとか。

でも、それをマスクで何とかしようといっても実際無理なんです。

スギ花粉に対してマスクしていても、実質上、防げるわけではないから花粉症はよくならない。

　弊害のほうが大きいです。

花粉症もコロナも全部そうですが、目先で対応することをやめない限りは同じじゃないですか。

ダニエル社長　今回のコロナだけにかかわらず、根本からそもそも人間というか、健康というか、医学というか、そこを考えない限りは、また同じように繰り返されるという感じですか。

内海　スギ花粉症を例にとれば、一番はスギの植林ばかりしている林業の行政上の問題があるわけです。

スギが悪いわけじゃないんだけど、スギばかり植えているからこうなっちゃう。

あとは、アレルギーを起こす土壌があるわけです。

人間側の問題とか、栄養の問題とか、食べ方の問題とか、そういうところでわざと起こりやすくしている。

花粉がガンガン降ってくると反応しやすくなっている。

それを無視して、薬で免疫反応をとりあえず抑える。

それは免疫抑制剤ですから、免疫抑制剤を使ったら何が起こるかを考えなきゃいけないけど、それはみんな考えない。

ヒスタミン系の薬とか今の抗アレルギー剤は全部免疫抑制剤なので、ステロイドの弱いバージョンなのです。

だから、あれを使っているとさまざまな病気になります。

ダニエル社長　花粉症を抑える薬がほかの病気を……。

内海　いろんな病気をつくります。

がんも絶対に増えるのです。血管系の疾患も増えるし、精神系の病気になりやすいです。

抗ヒスタミン薬が眠くなるのは精神薬だからです。脳に作用するのです。

花粉症だと思って2～3カ月飲んでいると、脳の活性とかホルモン産生とか、いろんなことが落ちてしまうので、鬱（うつ）と言われるような人になりやすい。

でも、何でそうなるのかわからない。仕事のせいにする人もいれば、食べ物のせいにする人もいれば、いろいろいますけれども、飲んでいる薬が問題だということが非常に多くて、それに対しては何も見ていない人ばかりです。

ダニエル社長　花粉を抑えたら、また次の病気にかかり、またそれを何かで抑えて、また次の病気にかかるというイメージでしょうか。

内海　そのループに入るという感じですね。

花粉症では死なないけれども、場合によっては死ぬような免疫の病気もあるんです。そういうときに免疫抑制剤とかステロイドを一時的に使うのであれば悪いとまでは言いませんけど、死にもしない病気に対して漫然と飲むことが多い。

そのくせ、根本のところの社会背景も自分の背景も見直さないから、また弊害を生むのは当たり前のことだと思います。

負のループに入っているだけ。

インフルエンザと新型コロナのチャンポンのワクチンをみんなよろこんで打つだろう⁉

内海　閉鎖グループに流す話では、今コロナで出てくる話題は酸化グラフェンとか、シェディングとか、あとイベルメクチンもよく聞かれますね。

僕はイベルメクチンは大反対です。先の話だと、混合ワクチンですね。

ダニエル社長　インフルとコロナの混合ワクチン。

内海　開発しているのはその辺なので、来年、再来年、インフルと新型コロナのチャンポンのワクチンが出てくる可能性があって、たぶんみんなそれをよろこんで打つと思います。

風邪ウイルスの１つのＲＳウイルスと、インフルと、新型コロナの三種混合も開発しているので、どっちを先に使うかわからないんですけど、それもたぶんよろこんで打つかなと思っています。これもｍＲＮＡ技術を使うと思う。

さらに問題は、ほかの動物がかかるウイルスで、人間にはかからないと勝手に決めつけているんですけど、そのウイルスを運び屋（媒体）にして中に浸透させていくという、ウイルスベクターワクチンを実際に使っています。

今のウイルスベクターワクチンの中にはスパイクたんぱくが入っているので、スパイクたんぱくに免疫も乗せるということをやっているんですけども、そうではなくて、ウイルスベクター（運び屋ウイルス）の中にｍＲＮＡの設計図を入れるという混合ワクチンも開発中です。

ウイルスベクターｍＲＮＡワクチン＋インフルのワクチンになるかもしれない。組み合わせ無限大みたいな感じです。

新しい産業だと思って製薬会社も頑張っていると思いますね。

ダニエル社長　一番の書き入れ時といったイメージですね。

内海　がんは、今は高い薬をつくるのです。

世界の人がだいぶ抗がん剤を嫌ってきたので、古い抗がん剤は使う数が減ってきたんですね。

なので分子標的剤といって、ターゲットを絞って、ここの部分だけ作用する、それが一番効きますというものに開発費をめっちゃかけている理屈で、単価がめちゃくちゃ高いんです。1人、月に何百万とか何千万とかするのです。

それは健康保険で払うんですよ。大多数の人に抗がん剤を使いまくるというよりも、一人でもオーケーよと。

ダニエル社長　高単価ビジネスですね。

内海　抗がん剤系は変わってきましたね。でも、全然効かぬけどね（笑）。

ダニエル社長　コロナ系のお話をお伺いしました。ありがとうございました。

第2部

日本の食事はなぜ世界で一番不健康なのか!?

Chapter 4
「社会毒」「キャリーオーバー」「添加物」アフリカの屋台よりも酷い!?

日本においては食事療法は、こんなにも難しい！

ダニエル社長　次のテーマに関しては、食と健康とか、ほとんどの日本人が勘違いしていることとか、薬の話をお聞きしたいと思います。

そもそも食について、どういう食事をとればいいのか、3食とるべきなのか、それとも1食なのか、断食すればいいのか。

全般的にはどんなお考えですか。

内海　個体そのものが千差万別なので、その千差万別さをいかにうまくつかんで選ぶか。食事というより食事療法が大事ですね。

それを守っていない人しかいないから、いつもよくならない。

だから、食事療法は効かないというイメージを僕は強く持っている。

本当は食事療法をうまくやればいいことがあるんですけれども、インターネットを中心に何かしらの手法、例えば断食とか、1日何回食事するとか、〇〇食事法とかいうのがあると、それにすぐ飛びつくんですね。

その人の栄養学とか食事的なことを考えると、例えば病気になったり何か問題があっても、いろんな背景があって原因があるので、その原因をつかんで処方しないといけないわけです。それを考えずに、手法が先に入ってくるのです。

だから僕はどんな食事法も全然ダメだと思う。

和食は体にいいと言っている人はウソつきだと思っている。

和食の食事法をやって悪くなっている人を僕はたくさん見てきたので、全然違う。

逆の食事法もまたしかりですよ。洋食系の糖質制限みたいな、肉をよく食べる高たんぱく高脂質系の食事を勧める人もいるんですよ。

これでよくなる人もいるんだけど、悪くなる人もいるので、背景を見ようとするほうが大事です。

原因をつかむということをしないから、結局、何をやってもうまくいかない。これがまず１つです。

もう１つ、それとは別に考えなきゃいけないのは、僕は「社会毒」と言っているんですけど、肉がいいとか野菜がいいとかいうことは横に置いておいて、そのつくり方とか、その間に入ってくる薬とか化学物質の問題が別に存在するので、どっちの食事法であれ１００％社会毒を避けるのは無理だと思います。

僕だって１００％なんて全然できない。

１００％やると、逆に精神的に病んだり、問題が生じるかもしれないから。

ダニエル社長　センシティブになり過ぎて。

内海　それもあるので、１００％を求めるよりも、僕は6割ぐらいでいいと言っているのです。

ただ、それを考えないと、日本は添加物とか農薬大国なので、やられてしまうことがあると思います。ヨーロッパでは結構厳しいから。

あとは体質や、その人の本能とか原因に基づいて食事を選んでいれば、そこまでの問題はないと思うけど、日本は両面考えないとダメというのがあります。

ダニエル社長 日本と海外を比べると、日本の添加物はどれくらい多いのですか。

内海 どれぐらいと言われると困るんですけど、認可数では日本がナンバーワンじゃないですか。

海外では危険度が高いから避けましょうとか、使わないようにしましょうという添加物も、日本ではまだまだ使えるという現実がある。

添加物もすごく広いんですけど、海外では、添加物は危険性がある程度認知されてきたから、これ以上は入れないという用量規制もあります。でも、日本はそれも全部無視。

あとは、表記法問題かな。日本の食品表示法は海外と比べて緩いのです。

本来は、その材料に添加物なり薬が入っていたら、消費者としてはやはり書いてほしいというのが当たり前ですが、キャリーオーバーがある。

添加物などが入っている材料を仕入れて、次々に料理して商品をつくったら、それに関しては書かなくてもいいのです。

例えば、豚肉をどこかから仕入れました。

豚肉に薬がいっぱい入っていても、それは書かなくてもいい。

そこの食べ物にいろんな変なものが入っていても、それも書かなくていいので、二重三重に入ってくる可能性があるということです。

それがキャリーオーバーです。

僕はハワイに住んでいましたけど、海外では材料とか餌にも表記があります。

GMO（遺伝子組み換え作物）もフリーかどうか。入っているものは何も書いていない。どうせ入っているんだなと。

あのいいかげんなアメリカ人でも結構しっかり書いているのに、日本人は気にしているわりに全然書かない。

そのほうが利益率が高くなるから、大企業のためだけにそういうシステムになっているので、日本の食事は世界で一番不健康だと思います。

ダニエル社長　僕は4、5年前にアフリカに2週間ぐらい行って、屋台のご飯とか、そこら辺のものをたくさん食べていたんですけど、全然おなかが痛くならなかったんです。

帰国してスーパーで総菜を1つ買って家で食べたら、その日のうちにおなかを下しちゃったんです。

裏を見たら、ドドドッといろんな添加物があったんです。

内海　２週間ぐらい慣れちゃったら、腸内細菌も影響を受けるから、そうなってもおかしくない。

でも、下痢をするのは、その場合は悪いとは言えませんけどね。

「要らぬ」と排除しようという反応のあらわれですから、あまり目くじら立てなくてもいいですけど、確かにそういうものがたくさん入っている。

Chapter 5
日本人の健康を一番害しているのは、給食の牛乳です!!

日本の乳製品は体を悪くするためのものになっている!?

ダニエル社長　食でも、いろんな派閥がある。小麦粉がめっちゃヤバイと言う人もいれば、砂糖がめっちゃヤバイと言う人もいれば、牛乳がめっちゃヤバイと言う人もいる。そこら辺はどんなことを考えていますか。

内海　僕は、昔から牛乳については危険論者なので、いろんな本にも書いていますし、牛乳はやっぱり危ないと思う。

それは今でも変わらないけど、前よりは緩くなったかな。

小麦も、危険論者の意見に基本的には賛同しているので、気持ちはわかります。ただ、小麦ばかりあおり過ぎだろうと思っているのも確かですね。だって米も危険ですから。

「社会毒」は僕の造語ですが、それは化学物質とか薬とか、全般を指すイメージです。「社会毒」を造語した最初は、先住民とか野生動物を見習いましょうということです。

本来、生物界に存在しているものを食べることにそこまで害があるとは思えない。なぜなら先住民はめっちゃ健康だったから。もちろん先住民の時代と今は地球も違うから、全く同じにはできないですが。

生物界にないもの、生物がそもそも食べないものを考えると、最初は化学物質が入ってきます。

その次は、畜産とか養殖の途中でまた何が入ってくるかということを考えなきゃいけない。

牛乳は、そもそもは赤ちゃんしか飲まないものです。

それを大人になってからも飲むのは、生物の中では人間だけしかやらないことだから、まずはその不自然さを考えなきゃいけない。

先住民でも、生きていくのにそれが都合のいい場所は、乳製品をとっているところはあるんですけど、全世界的に見るとすごく少ない。

あと、日本人は乳製品文化でない文化で生きてきたから、「アルプスの少女ハイジ」みたいに１０００年、２０００年、乳製品をとっていた人たちと、戦後になって「牛乳を飲め」と無理やり押しつけられた日本人を同じにするのは無理だ。

日本人の腸内細菌は牛乳に適合していないのです。

それを踏まえると、薬とか餌をちゃんと気にしている畜産を選ぶように努力して、嗜好品として料理の中にたまに入れ込むぐらいだったら、「あり」かもねという感じです。

逆に言うと、日本人の健康を一番壊しているのは給食の牛乳です。

飲みたくもないのに、あんな安い牛乳を無理やり飲まされて、健康になることは絶対にない。

給食の栄養バランスは、グラム数で計算するのです。

たんぱく質何グラム、脂質何グラム、炭水化物何グラム、ビタミン何グラムと。脂質とたんぱく質が多いので、牛乳はそのグラム数をガッと上げるのにとても都合がいいというだけです。

中に何が入っているか、何も考えていないから。

栄養士はそれしか考えてはいけないことになっている。

ダニエル社長　コーンフレークのいい形を保つ栄養バランスのグラフは牛乳ありきで、給食はそんなイメージですか。

内海　本来、健康というのは、そういうふうに考えないので。

人それぞれの腸内細菌もあるから、どういう腸内細菌叢になっているのかも考えなきゃいけない。

遺伝子にだって僕らは影響を受けているから、どんな遺伝子を持っているかということも考えなきゃいけないし、もちろん、性格だってあるかもしれない。

あとは、ビーガンみたいな生活をしていたら、たんぱく質が全然足りなくなる。

その人が病気になったら、肉を食べたほうがいい。

そういう人が牛乳を飲んだら、逆によい効果が出るかもしれない。

よく肉を食べている人はたんぱく質は足りているけれども、今、焼肉用の肉も薬をたくさん使って畜産していますから、そういうのが体の中にどんどんたまっていっているので、牛乳を飲んだら同じことの繰り返しになり、下手をすると、牛乳で上塗りして、もっとひどいことになるから、絶対よくならないです。

現実としては、嗜好品としてイタリアンとかは僕でも食べる。チーズとかヨーグルトとか、発酵しているほうがいいと思います。

そういう乳製品やバターをうまく使って、素材が悪くないものを嗜好品的に食べるのだったら、まあいいかな。

日本では素材のよいものは安く提供できないです。アメリカに行ったら乳製品文化ですから、オーガニックのブースのほうが圧倒的に大きくて、ピンからキリまで全部あります。

私はあまり乳製品をとらないんですけれども、オーガニックの飲むヨーグルトを味見してみると、日本の安いものより全然うまいですね。

畜産をやっている人の中では、温度処理も問題だと言っているみたいです。

そういうのを全部考えたら、日本の乳製品は体を悪くするためのものになってしまっています。

ホルモンがいっぱい溶け込んでいますから、ホルモン系の病気もつくる。

腸も荒らすし、いいことないというイメージです。

Chapter 6
小麦と砂糖漬け!!
日本人の味覚は、すでに壊れている!?

今の小麦は糖度だけ高く、栄養価はなく、中の遺伝子は狂っている!?

内海　砂糖と小麦は同じように扱われているのですが、本来は全然違います。
小麦は、歴史上、農耕が始まってから結構食べている。
安いからコメより食っているぐらいです。
その昔の小麦は、今の小麦と遺伝子組成が全然違うのです。
明治の小麦は、トゲトゲが生えていないのがいっぱいあります。
そういう形に変わってきたのです。

売るために都合がいいほうにどんどん変えてきたわけです。かけ合わせたり、放射線を当てたりすることで遺伝子操作をしてきたのです。そうすると糖度だけ高くなって、栄養価は下がって、中の遺伝子は狂っている小麦になっている。

今はパンとか、麺とか、ピザとか、小麦の食べ物しかないから、小麦をやめたら食うものがないという話で、みんなウダウダキれる。小麦を食うことまで否定はしませんよ。健康だけに生きているわけでもないけど、その小麦はどんな中身かは考えなきゃいけない。生物としては小麦を食うのは「あり」なので、全粒粉みたいに小麦をそのまま食べるほうがベターです。

「砂糖」という名の覚醒剤!?

内海　それが砂糖になると、生物界にあるかどうかは別の話になってきます。真っ白の小麦と砂糖を、どのぐらい同じと見立てるかにもよるのですが、砂糖はサトウキビからつくります。

その糖分のところだけをさらに抽出して、ほかの栄養素を全部取り去って、精製して固めたものが白砂糖です。

これは精製して抽出した物質になりますから、生物界にはそもそも存在しません。我々は炭水化物を分解して、分解して、最後に血液の中で活用するというもので、それをいきなり入れるということだから、きつ過ぎるのです。

薬学の世界でいいますと、覚醒剤はそうやって精製したものです。

麻薬とか覚醒剤は、別に体に悪い成分ではありません。

本来、体に必要な成分だけれども、それを精製しているからきつ過ぎで、陶酔したり、逆に眠くなったりする。

砂糖も実は同じで、我々の体に糖分は必要なんだけれども、精製して入れるときつ過ぎるので、それなしでは生きていけなくなる。依存する。

きつ過ぎるから血糖が上がっちゃって、また下がっちゃって、下がり過ぎてしまう。

そういう変化をもたらすので、糖分、炭水化物をとるのであれば、できるだけ精製していないものをとるように意識する。

精製していないものでも、もちろん、ほかとのバランスとか自分の背景は考えなければいけません。

一番は、精製していないものをとるように意識することが最初になると思います。

ダニエル社長　今の白砂糖は、ある意味、「砂糖」という名の覚醒剤ですかね。

内海　あれは完全に食の覚醒剤です。宇宙にないですもの。

栄養学を勉強する前から、我が家に砂糖はなかったですね。

私は甘いものが好きじゃないんです。

うちの嫁さんも甘いものがあまり好きじゃないので、味つけに砂糖を入れると、ウッとなっちゃうんです。

そんなもの入れなくていい。甘味が欲しいといっても、ほとんど料理酒です。

みりんもほんのちょっと使うぐらいが関の山で、蜂蜜も使わない。

それでも十分甘いという感じです。

今の人は味覚が壊れているんですよ。

大きい駅前にお菓子の店がいっぱい並んでいます。昔、うちの娘と一緒に通ったときに、娘が「臭い。臭い」と言っているのを聞いて、うちでは甘いものをほとんど食べないから、野生動物はこんな感覚なんだろうなと思いました。

あれに寄っていく人たちはアリですね。

ダニエル社長　パンケーキとかケーキに、さらにチョコレートのようなドリンクを飲んでいるんです。

内海　甘過ぎて無理ですよ。

東洋医学では、酸っぱい、苦い、甘い、辛い、塩辛いという五味があるんです。味が5つあるから、多く見積もっても5分の1以上、甘いものを食ってはいけないのです。これが大原則です。

ほかの味を食わなきゃいけないのですが、今の人はほかの味を食えない。

もう一つは「甘い」の定義が違って、昔は「ニンジンが甘い」という甘さなのです。あれ以上の甘さはないんです。

ダニエル社長　素材の甘さですね。

内海　砂糖の甘さはそれより上で、人工甘味料はもっと上です。

古くは砂糖はすごく高級品だった。

明治とか大正でも、小豆の甘さ以上の甘さがない。

塩を入れたほうが甘さが引き立つから、おはぎに塩を入れていた。そういうふうに生物の原則を知らず知らずに守っていました。今はそんなことはないから、何になってもおかしくない。

ダニエル社長　本当に、砂糖は覚醒剤ということですね。

内海　使いたい人は使えばいいと思いますが、病気になってからグズグズ言うな。病気になったら、「早うＳＨＩＮＥ」といつも言っているんです。僕だって酒を飲みますし、体に悪いものをとらないわけではない。ジャンクフードもたまには食べます。だけど、自分が病気になってからテンパるのはやめてほしい。砂糖とか、そんなのを食っていたら、いつ病気になってもおかしくないでしょうと言ったら、「そんなことはありません。政府が認可しているから、これは体にいいんです」とか言っているやつは、ＳＨＩＮＥと思いますよ。

Chapter 7

人工甘味料はさらに強力な覚醒剤!?

人工甘味料でダイエットなんて嘘!?　実際にはさらに太る!?

ダニエル社長　今、人工甘味料の話が出たんですけど、アセスルファムとかアスパルテームは、ダイエットコーラとかいろんなお菓子に使われて、ゼロカロリーと言われています。

その辺の実態と危険性はどんな感じですか。

内海　砂糖と同じか、もうちょっと危険かもしれない。

単位当たりの量では人工甘味料のほうが危険なんですけど、普及率とか総合的な毒性のバランスでいったら、砂糖のほうが上かもしれません。

僕は、社会毒の中では放射能と砂糖が２強で、その下に人工甘味料とかそういうのが入ってくると言っているのですが、単位当たりだったら人工甘味料は砂糖の何百倍も甘いですから、覚醒剤の成分を、砂糖よりもさらに強力にした感じです。

だから、脳みそを狂わせる。

てんかん、痙攣、精神疾患、食欲中枢の破壊を起こすから、人工甘味料を使ってもダイエットにならないです。

人工甘味料入りの食べ物を食べたほうが、実際には太るという研究がすごく多い。

確かにカロリー計算だけだと、人工甘味料を入れていてもゼロカロリーにはなるんですけども、食欲中枢を破壊するのと代謝を落とすから、結局のところ、太りやすくなるというデータが多いです。

気持ちはわかりますが、ダイエットに抜け道はないといつも思います。

人工甘味料はそれの筆頭かな。

やはりてんかん系、脳系が多いです。

支配者系の話で言えば、アスパルテームとか、アセスルファムとか、ネオテームとか、意図は同じなんですけれども、強力なタイプの人工甘味料は大体外資がつくっています。「ｔａｍｅ」は「奴隷にさせる、従わせる」という意味なので、アスパルテームは「奴隷にさせるアスパル」という意味です。

アスパルテームは、ドナルド・ラムズフェルドが無理やり認可させて通したという話もありますけど、今はそれより強力なものが出ています。

それがスポーツドリンクとかアイスクリームに入っているので、より従属させやすい状態になっていると思います。

果糖とブドウ糖でさらにどんどん覚醒できる⁉

内海　僕がスポーツをやっていた中高生時代には、アクエリアスとかポカリスエットという普通のスポーツドリンクにも砂糖しか入れていなかったと思います。

昔、人工甘味料を入れて問題が起きて、取り上げられちゃったから、入れないでおこうと、ほとんどのところに入れていなかった。

それが途中から人工甘味料とか液糖（果糖・ブドウ糖液）を入れるようになりまし

たね。

液糖はまた問題で、そのほうが親和性が高い。

どんどん取り込まれて、どんどん覚醒ができる。

果糖のほうが強力です。

ブドウ糖のほうが砂糖よりも強力なんです。

砂糖は二糖類なので、果糖とブドウ糖が１つずつくっついています。

砂糖がすぐ分解されて果糖とブドウ糖になって、それが体に直接作用するので効きやすい。

今は、砂糖よりも果糖とブドウ糖を入れたほうが絶対に覚醒剤になるからということでやっています。

ダニエル社長　精製した白砂糖のさらに上の精製した果糖とブドウ糖を、そのまま入れるということですね。

内海　果物をとっても果糖はそこまで入ってこない。

今は果糖を増やしていますけど、果物は繊維が多いので吸収をゆっくりさせるから、果物を食べても果糖はそこまで気にしなくてもいいんです。

食べ過ぎたらもちろん問題はありますけれども、吸収が全然違うから血糖の上がりぐあいも違います。

果糖そのものを粉にして入れると全然違いますね。

Chapter 8
富裕層がいかにして儲けてきたのか!?
その視点から食と薬は
同じ構図であるとわかる!!

飲食店は違法ドラッグを入れている!?

ダニエル社長　今アイスクリームの話があったんですけど、例えばアイスクリームとか、カレールーとか、乳化剤は加工食品のどこにでも入っていると思うんです。
そこら辺はどんな概念ですか。

内海　同じく、よくないと思いますよ。
いろんなものに入ってますけど、よくないとしか言えない。
今、カレーで思いついたのは別の話です。

町なかにはおいしいカレー屋さんのお店が結構あります。

これは食品会社の人、1人でなく何人かに聞きましたが、スパイス系を使っているお店は本物のいわゆる違法ドラッグや、合法だけど精神に影響を及ぼすスパイスをカレーの中に入れているところがあります。

店の人とか何も考えないで入れている。

全部ではないので、カレー屋さん全員が悪いとは言わないんですけども、そういうものを入れているところがたまにあるというので、カレーと言われたらそっちしか思いつかない。

ダニエル社長　確かにカレーは常連客というか、絶対カレーを食べたいという人が結構いますものね。

内海　化学調味料を入れるのと、覚醒剤を入れるのと、スパイスを入れるのは、究極的には似ているのです。

辛いものという意味でのスパイスならまだいいんですが、精製系のものをボンと入れる。

おいしいと錯覚させて、また食いに行きたいと依存させるので、そういう意図は全部同じです。

グルタミン酸ナトリウムも覚醒作用!?

内海　グルタミン酸ナトリウムが化学調味料の代表ですが、グルタミン酸自身は昆布とかいろんなものに入っているうま味成分のアミノ酸です。

Ａ社は、グルタミン酸とグルタミン酸ナトリウムは変わらないと言っているわけですが、ウソつくな。全然違うのです。

グルタミン酸はグルタミン酸として作用しますし、重合しているようなイメージで、昆布のグルタミン酸だって体の中に入って吸収されて役立つまでに、それなりの時間とか経過をたどらないといけないのです。

グルタミン酸ナトリウムにしているのがポイントです。

ナトリウムにするということはイオンになっているから、水に溶けるとナトリウムが外れて、すぐ水に溶けるような状態になる。

そうすると、作用がすごく速いのです。

グルタミン酸でなくてグルタミン酸ナトリウムで入れると覚醒剤のようになる。

ダニエル社長　砂糖を白砂糖に精製して、果糖でぶち込むのと同じですね。

内海　同じです。食は、薬と同じ構図なのです。

陰謀論でよくたたかれる富裕層とか貴族が、歴史上、昔からどうやって儲けていたかというと、奴隷販売と兵器販売と麻薬販売です。

コロナも食品も全部同じことをやっているんだということがわからないのです。

添加物がいいとか悪いとか言っている人も、当然添加物の実験はするので、その毒性は1から5まであるんですけど、その実験で語るのです。

データがあるから悪いとは言わないけれども、薬学の思想とか麻薬の思想は専門家でないからわからない。

そこから見ると全部同じことをやっているに過ぎないことが見えてくるはずです。

今でもやっていることは麻薬販売、奴隷販売、兵器販売です。

ダニエル社長　確かにコロナでみんなオンラインになって、いろんなビッグデータがネット上に出た。ある意味、これも奴隷販売のような話ですね。

内海　食品は麻薬が入り込みやすい。

麻薬や覚醒剤を薄く入れておいたら、おまえら、よろこぶだろう、めっちゃ売れるぞとやっている。

丸出しで売ったら、今の時代、貧民は捕まりますから、どうやって入れ込むか。

ダニエル社長　添加物が世界でもトップクラスに認められている国、日本は、世界で一番麻薬漬けにされている国ですね。

内海　実際、医療用の薬も精神薬も売り上げナンバーワンです。

違法ドラッグはまだまだ少ない国ですね。これだけが唯一の救いかな。

アメリカは違法ドラッグ大国です。

でも、これから日本も増えていくんじゃないですかね。

Chapter 9
細胞の中に入ってしまった「毒」をいかに排出するか!? それが今の時代の重要な課題です！

ほとんどの人が知らないデトックスと油の代謝の問題

ダニエル社長　今、「社会毒」というお話がありましたが、日々とる添加物とか、砂糖とか、そういうよくないもののデトックスには、どんな生活をしたらいいですか。

内海　半分はできないんですよ。

糖分は我々の脳みそとか筋肉を動かすのに必要です。

精製物質はビシビシッと一撃で刺激してくるような感じで、きついのですが、それを体に取り込んだら消費されてしまうので、解毒とかデトックスはできない。それが

１つです。

社会毒の中にはほかにも幾つかのカテゴリーがあって、脂溶性の毒物。本来、製薬会社は石油会社で、だからロックフェラーとお仲間なのです。

油から薬物をつくることをやっているわけですが、これは炭水化物と違うので、吸収されて、僕らの体の中の脂肪、細胞、神経細胞、脳細胞に入ります。全部タプタプの油です。

「羊たちの沈黙」という映画で、食人鬼のレクター博士が脳みそを食べていましたが、本当にフォアグラです。

我々の体の中に油の部分がたくさんあって、重要な部分は脂溶性のところが多いんです。

そこに油系の薬が入り込んでくる。

水ははじかれますが、油系の薬は溶けますから、結構長く残留します。

そういう薬物は、すぐは無理だけど追い出すことはできます。

もちろん、人体でも緩いペースではありますが、自分の体の脂肪の入れかえをしてある程度追い出しているんですけど、たまっているものはなかなか吐き出し切れない。

簡単に言えば、油を入れかえればいいだけです。

一番簡単なのは有酸素運動ですが、今、有酸素運動をやる人もなかなかいないし、やっても限界がある。

医療的には、有酸素運動は疲れちゃうし、ちょっと排出力が弱いので、よく使うのはサウナとかヨモギ蒸しとかの発汗療法です。

サウナも低温で、できるだけ湿度が高いほうがよい。

汗をかくだけでも体の中から結構皮脂や重金属が出てくるのです。

覚醒剤中毒者の汗の成分を調べたら、覚醒剤がちゃんと出てきます。

それはちょっとずつだけれども、繰り返しでちょっとずつ出していく。

低温で汗をかいてそれが蒸発していくと、体温を保たなければいけないから、脂肪を燃やすことになるのです。

発汗療法は非常によく使われる手法だと思います。

それに対してサプリメントでデトックスしようという人がいるんです。

効果ゼロではないけれども、正直言って弱いと思います。

モノを売りたい人が売る感じになっていますが、脂肪の燃焼とかデトックスする力は弱い。

サプリは、どうしても腸の中のものを外に出すことが主になってしまうのです。

サプリではないかもしれないけど、最近は炭をダイエットがわりにとっている人がいます。

西洋医学でも、農薬を間違えて飲んだとかＯＤ（オーバードーズ）の時とか実際に炭を入れて、吸着させて外に出すこともやるのですが、腸の中のもの以外は炭では出せない。

今の毒の時代は、細胞の中に入ってきてしまった後のほうが問題なんです。

昔は、解毒はうんこで出すと言っていたんです。

それはばい菌が毒の主たるものだと思われていたから、下痢して悪いものを外に出しましょうという感じですが、今は吸収されてしまった後、長く残留するほうが問題なので、便で出すことの重要性が減った時代です。

だから、発汗療法とか、油を代謝していく、入れかえていくのが大事だと教えます。

ダニエル社長　油と親和性の高い神経に、人工的な油がたまり過ぎちゃって。

内海　どんどんたまっていっちゃうのです。

それで神経がやられて、神経痛とか認知症も全部同じ理屈です。

脳みそがやられているのはホルモンと油の要素です。ホルモン自体が油です。

コレステロールからつくられるものがホルモンですので、すごく油が大事です。

いかにいい油をとって、いかに悪い油を避けて、それだけじゃなくて油の代謝をしていくのが、デトックスとして大事になります。

見本とすべき先住民に植物油はそもそもなかった!?

ダニエル社長　具体的に、この油がいい、この油は悪いというのはありますか。

内海　そういう感じではないですね。

油のことは学問の話になるので、勉強してとしか言えないんですけど、特定の油のみを選ぶのをやめないといけない。

まずは、動物性の油をどういう形でとるかということです。

動物性の油は飽和脂肪酸と定義されることが多いんですけど、飽和脂肪酸は僕らの体の中で絶対に必要なので、植物しか食べていない人は、油が足りないからホルモンが弱っていってしまう。

それは採血を見ても一目瞭然です。

畜産の仕方に戻ると、今は薬とか餌が悪いから、肉の脂の中に毒がたまりまくっている。

それを食べたらますます毒漬けになるから、肉を食べている人のほうが病気が多いという話になるのです。

狩猟民の先住民は肉を食べるけれども、彼らは病気が全然なかった。

虫歯はゼロ、ボケもゼロです。

今は先住民も現代人と同じ生活をしているから、先住民に特別な健康要素は感じられないけど、飽和脂肪酸は生物体に絶対に必要だから、とても大事です。

飽和脂肪酸は火に強いので火を入れても結構大丈夫ですが、問題は植物油です。

オリーブ油とか、コメ油とか、ナタネ油は、オメガ3とか、オメガ6とか、オメガ9と言われる成分がありますけど、火に強い、弱いは全部あるので、油の使い方、とり方、割合を変えないといけない。

先住民の生活に合わせるのだったら、飽和脂肪酸が半分か、それより多いぐらいがいいんだけど、現代人がみんな先住民と同じ食べ方ができるかどうかはわからないので、もうちょっと減らしたとしても、必須脂肪酸のオメガ3とオメガ6はたくさんは要らないのです。

昔はオメガ3とオメガ6は1対4と言っていましたけど、今は1対1とか1対2ぐらいでとったほうがいいという話になるのです。

だけど、何も考えていない人は、オメガ6の油を20ぐらいでオメガ3を1ぐらいしかとっていないので、全然違う。

オメガ6は炎症を誘発する油だから、どんどん炎症性疾患になっちゃう。

オメガ6の代表がトウモロコシ油、大豆油、ゴマ油、グレープシードオイル、ヒマワリ油です。

特にトウモロコシ油と大豆油が問題で、これが一番病気をつくるんです。

トウモロコシ油と大豆油はオメガ6の成分だけでできているぐらいで、もう一つは遺伝子組み換えだから、ダブルパンチでやってくるのです。

でも、液体系でどんどんなじんでいく油だから、料理はしやすいです。

アメリカへ行っても、料理にそういう油かコーン油ばかり使っています。

日本のスーパーでも、安いのはコーン油かそういう油だと思います。

だから、みんな病気になるために使っているという感じです。

油はどんなつくり方をしているか。どんな保存の仕方をしているか。

オメガ3とオメガ6は火に弱いから、コーン油、大豆油を火を使う調理に用いることはあり得ない。

それだったらコメ油とかナタネ油のほうが、まだ火に強い。バターも火に強い。

そういった全部の油の使い方、考え方があるのです。

この辺は、病気の人には本とか資料を読んで勉強しなさいと言って、私は絶対に教えない。

教えると、どの油だけがいいとなるのです。それが一番ダメだと思います。

ダニエル社長　根本の仕組みよりも、これだったらいいというようなイメージでしょうか。

内海　油は特にそうですね。
一般人の常識と全然違うので、オリーブ油がいいと思っている人は絶対にやめたほうがいい。それは病気のもとです。

オリーブ油が悪いわけじゃないけど、使うべきところが限られていたり、合わせる料理も限られているから、どういう料理にはどれぐらいの割合でどの油を使うかを全部考えないと。

健康だけ考えたら、そういう油はナマでしかとってはいけない。

コーン油はとる意味がない感じです。

そもそも先住民の生活中には植物油はない。

そもそも人間は植物をそのまま食っているだけだから、植物油はそんなにとらないのです。

昔は石臼をひいて、チョロチョロと垂れた油を瓶に入れていたんですけど、それが現代になって料理に都合がいいからと使うようになった。

その中にいろんな悪い成分もどんどん入ってくるから、怖くなったとも言えますね。

Chapter 10
鬱病!?　精神病!?
病名を捨て、原点がどこかを探る!!

そもそも鬱病の薬は、覚醒剤と全く同じ成分!?

ダニエル社長　日本は鬱病大国です。
そこら辺と食は密接な関係があるんですか。

内海　あります。これも半分と言ったほうがいいですね。
何度も同じことを言っていますけど、背景や原因を考えなきゃいけない。
鬱病と言われている人の背景もみんなバラバラだから、一概には言えないのです。
日本人の食べているものがおかしいから、腸なども含めた肉体的、栄養学的な問題なのに、精神病のように言われている人はすごく多いです。それに対して精神科で薬を出しても意味がないのです。

もっと手前の話から言ったら、精神科全てがおかしい。

精神科で飲ませている薬がそもそも麻薬とか覚醒剤と全く同じ成分で、麻薬を飲ませてどうやって治すんですか。

鬱病の薬だったら、覚醒剤と全く同成分です。

覚醒剤をやったらラリります。

気持ちがよくなってくるから、鬱病が治りましたねと言っているのと同じだから、そんなので治っているわけない。

治ったように見せかけているようなイメージです。

実際には副作用のほうが前面に出るから、全然よくはならないんですけれども。

でも、栄養学的な問題だけでみんなが病になっているとは限らない。やっぱり社会的問題と人間的問題でなっている人が多いと思うのです。

それは混合になっていることが多くて、社会的に虐げられているとか、貧困層であるとか、お金を持っていても会社の問題とかがあるとき、体に悪いものをさらに欲するようになるのです。

依存的な味を求めて、それで満たすようになったら、ダブルパンチになるじゃないですか。

そういうふうにして病名をつけられている人が多い。

両方に対応しないとよくならないのがあって、うちは必ず両方やります。

そもそも病名を絶対使わない。病名を使ったら、もうダメ。

みんな病名をつけられることに満足しているんです。

自分が被害者になりたいみたいな感じになるんだけど、そもそも精神科の病名は誰でも当てはまる適当な病名群からつくり出している。

全員を病人にしたら薬が売れまくるんだから、そのために広げた感じなのです。

状態として、確かに悩んでいる人とか、何かできなくなってしまった人を私はいっぱい診ているから、そういう人がいるのはわかります。

とにかく病名を捨てることから教えます。症状は何の意味があるんだ。何でそういうふうになったのか。原点はどこか。

会社にいじめられたことさえ原点ではない。

なぜその対処ができないのか、そういう会社になぜ勤めているのかと、もっと前に戻っていかないといけないから、結局、人格形成と幼少期の話に戻らざるを得ないですね。

それを必ずやることと病気をよくすることはセット。薬抜きと栄養療法もセット。いいものを入れて悪いものを抜くという物質的な出し入れと、精神療法の3点構造。本当は4点構造ぐらいですが、それで対処するのが基本です。

ダニエル社長　そもそも鬱病とか精神病という病名をつけられて満足する患者がいるというのも事実で。

内海　それは依存心のなれの果てですね。

自分がしんどいのをわかってほしいんだと思う。

そこまではわかりますけれども、それも自分自身がつくってきた問題だと見ていかない限り、負のループから抜け出せない。

僕はそういうことをいろんな本に書いていて、SNSでも発信しています。

それを読んで、本質的に負のループから抜けたいと考えた人が僕のもとに来ます。

ダニエル社長　食事的な影響もあるし、単純に会社からいじめられたというよりも、自分の性格とか人格とか幼少期のトラウマとか、そういうのも全部絡まっているという感じですね。

内海　それに病名をつけても意味がない。

もちろん、夫婦関係とか、子育ての問題とか、いろいろ入ってきます。

その根っこを探すと、どうしても前のほうに戻ってしまう。

今、夫婦関係がうまくいっていない人は、夫婦だけの問題ではないんです。必ず前提がある。例えば簡単なのは、自分の父母の問題があると、夫婦の問題に影響が出ることが多い。

必ず自分の幼少期に戻っていかないと、離婚したいのに離婚さえもできない。

僕は必ずそういうところからやります。

ダニエル社長　それはかなり本質ですね。

内海　１人１人時間がかかりますから、自費診療で病院をやっています。

今、精神科の患者さんは、口だけと言うと言い方が悪いけど、結局、逃げることが多い。

がん患者と難病患者がすごく増えているので、うちもがん患者と難病患者しか診ていないんです。

僕は精神科問題からやり出したから、原点はそこなんですけど、精神科の薬漬けの患者さんは難しいのです。

それをやる場合は、うちは福祉施設みたいなものもあるから、そこで生活訓練もやって、栄養の勉強もやって、減薬もやる。

それをセットにしてやる覚悟がある人でないと、今は受け付けていないです。

小手先だけでやると、精神薬、麻薬とか覚醒剤を飲んでいる人がやめたら禁断症状が出て、発狂したりする。

薬をやめて発狂したら、病気が再発したんじゃなくて薬の禁断症状なので、全然別なのです。

性格が問題だという人も、病気にするからおかしいのです。

精神科に「人格障害」という病名があるのです。

統合失調症でもいいんですけど、そういう病名をつけられる人は、普通の常識とは違う行動をしたり、考え方を持っているのは確かなんです。

犯罪者とか犯罪者予備軍みたいな人も、狡猾な人も含めて、そういう病名をつけられたりするけれども、医学の病名をつけても無意味有害という理解ができないと、対処できないのです。

あいつは人格的におかしいやつだからと「人格障害」とつけたら、薬を飲むしかなくなる。だから、私は「人格障害」と言うな、「アホ」とか「バカ」と言えといつも言うのです。昔はそう言っていたんです。

その人が生き方を見直すなり、社会的に相手にされなくなって、その後、どうなるかわからないけど、要するに、社会的に対応するしかないんです。

医学的には対応できない。

今、医学的対応が当たり前だと思い込まされるようになったのですが、医学が入ってきたら、ますますトラブルになる。

幼少期からいろんな問題があって、犯罪者的なことをするようになった人がいるとしましょう。

この人に精神科で病名をつけても、その後、飲ませるのは覚醒剤ですから、もっと犯罪をするようになる。

もっと猟奇的なこととかやるんです。

実際に今、日本で猟奇的な殺人とか犯罪をする人は、精神科にかかっている人が多い。ニュースにも出てきます。

あれは本人の問題もあるんだけど、精神科の問題があるんです。精神科にかかって、薬を飲まされているから、この人は犯罪をする。ヤクをやってラリっている。

それがいいものだとみんな思っている。これも誘導されている感じです。社会を壊すためにやっている感じですが、社会にトラブルがあったほうが精神科やカウンセラーは儲かる。

ダニエル社長　病名つけて、薬を飲ませて、さらにラリって、事件を起こすといった感じですね。

内海　負のループ。大もとの問題から解決するしかないですよね。

その人は何でコンプレックスの塊なのか。

コンプレックスのもとのところから解決しないと無理だし、ジャンクフードばかり食っていたら、頭もおかしくなりやすい。それもちゃんと変えるしかない。

栄養をとったら脳みそも整うんじゃないかと言っているだけなんです。実際、両方やらないとダメですね。

Chapter 11

イベルメクチン、シェディング、酸化グラフェンの奥底!!

イベルメクチンを薦める人はディープステート、ロックフェラーの手先になってるのと同じだ!?

ダニエル社長　最後に、僕のＹｏｕＴｕｂｅでもコメントや質問の多いイベルメクチンに関しては、どう思われますか。

内海　「ＳＨＩＮＥ」と思っているくらい大嫌いです。

イベルメクチンを薦める人は売国奴だと思っている。それぐらい信用できないです。

イベルメクチンに限らないんですけども、イベルメクチンが一番言われているからね。

そもそもの前提を忘れていますね。

ＰＣＲのウソをちゃんと理解していて、無症状感染のウソを理解していて、人工ウイルス説を信じるかどうかは別だけど、そういう背景があることを理解していれば、史上最弱の雑魚ウイルスだとわからないとおかしいです。

イベルメクチンとか言っている人たちは、そういう理屈をわかっているはずなのに、寄生虫の薬であるイベルメクチンをウイルスの特効薬のように言うのは、ディープステートとかロックフェラーの手先になっているのと一緒ですからね。

大体イベルメクチンはメルクがつくっている薬ですから、石油系のワクチンをつくっている会社じゃないか。

それが安全な薬と言っているけれども、全然違う。

そもそも寄生虫の薬だから劇薬指定されていて、安全性が高いというのは、獣医が量にすごく気をつけて出しているからです。

そういうのも全部無視して、世界でこれが効きましたという論文が出てきたら、アホはすぐ飛びつく。

わかってる人たちはそもそも検査しないはずですが、無理やり検査させられて新型コロナになったと言われたら、風邪と言っていたのだから、放っておけばいいじゃないか。

重症感染になったら、ウイルスの感染の状態を飛び越えて２次感染になっているか、もしくはＡＤＥ（抗体依存性感染増強）みたいな免疫過剰状態になっているかのどっちかです。

その前にやっていたことが悪いからそうなっちゃうんですけど、免疫過剰状態だったら逆に免疫抑制剤を使わないと死にますから、その場合は使うしかない。

２次感染だったら、当たり前ですが、抗生物質を使うのが一番いいんです。

だから、イベルメクチンを使う必要はないのに、どこからか噂として出てきた。

最初に出てきたとき、僕らの周りはみんな、何でイベルメクチンが出てきたのという感じだった。

僕は、世界でイベルメクチンがいいとわざわざ言うようになったのは、あっちの手先がやり出したからだと思っています。

ダニエル社長　目覚めているんだと思っている人たちが飛びつきやすいように見えて、

実は……。

内海　僕は、これをネットでずっと言っていて、そのたびに「あいつはディープステートの手先だ。ロックフェラーの手先だ」と言われています。

いや、逆でしょう。だって、おかしいもの。そんなのに頼るわけがない。

いいと言うのだったら、漢方を飲んでおけばいい。ビタミンCでもいいんです。トランプは大統領のときに新型コロナにかかって、ビタミンDとか栄養系を飲んでよくしたと言っているけれども、イベルメクチンを使うんだったら、今までもデータがいっぱいあるビタミンDとかビタミンCで全然いい。

何でわざわざ寄生虫の薬を使わなきゃいけないのか。

これでどれだけ耐性菌をつくるかわかったものじゃない。怖いから全く使わない。使った人は相手にしない。

ダニエル社長　僕のSNSでも、「イベルメクチン、別に要らないんじゃない?」ということを書いたら、結構食いついてきた人がいたんですよ。

その人のアカウントを見たら、イベルメクチンの販売代理店をやっている人だった(笑)。

それは食いついてくるわなと思いました。

内海　そういう人ばかりでもないと思うんですけども、前提を思い返してもらいたい。自分も一回たりと処方したこともなければ、周りにいる人も、飲む人の相手はしたくない。自分が真実を知っているとかんちがいしているだけのポッと出くんとしか思っていない。

イベルメクチン以外の特効薬的に扱われているものも、同じようなポジションだと思っています。

シェディングは今まで健康だった人がなることが多い！

ダニエル社長　コロナ系ではシェディングについても多く言われていますが、これはどういう考えですか。

内海　シェディング自身は、たぶんあると思います。

『新型コロナワクチンの正体』を書いたときは、シェディングの情報が世界の中にあまりなかったので、そういうことがあり得るかもぐらいの書き方で終わっているんですけど、2021年6月前後から世界でも言われるようになってきた。

僕も最初はうさん臭いなと思っていたところはあったんですけれども、結構根拠のあるデータとか情報も増えてきた。

現実観察していると、どういう病態か説明できないのがすごくたくさん出てきて、シェディングはやっぱりあるのかなと思わざるを得なくなりました。

今では結構見分けられると思う。

ただ、シェディングでない人がインターネットにはまって、「私、シェディングです」と言い張る人がいるから、ウザイなと思っているのも確かです。

シェディングにも、ある程度の法則があるんですよ。

シェディングの原理は、まずmRNAワクチンを打った人が体の中にスパイクたんぱくをどんどんつくっていって、呼気とか汗でスパイクたんぱくを周囲に放出していく。

そのスパイクたんぱくかスパイクたんぱくもどきの影響を他人が受ける。

特にワクチンを受けていない人が受けるというのが、シェディングの理屈です。

だから、周りが新型コロナワクチンを打ち出した後に、ワクチンを打っていない若い人が、今まで何も病気がないのに、あるいは自分が持っている病気とは違う、突然わけのわからぬ病態になる。

ずっとインフルエンザもかかったことがないのに熱がブワーッと出るとか、皮膚とか、肺とか、月経系とか、血管系疾患になる。

皮膚がアトピーとも違う出方でボロボロ。子どものころに喘息があるんだったらわかりますが、既往歴がないのに喘息になる。

スパイクたんぱくを吸って影響が出やすいからだと思うんです。

おとといも、今までアトピーがありましたが、結構よくなっていたのに、2021年5月ぐらいからめっちゃ悪くなってきて、会社のストレスだと思っていましたという人が来ました。

その人も情報は読んでいるけど、シェディングというのは頭から飛んでいた。

「シェディングの可能性はあるんじゃないですか」と言ったら、「言われてみたらそうだけど、考えませんでした」と。

シェディングの法則がある。

突然出てきて、時期（スケジューリング）があって、一般的な症状とはちょっと違う。

むしろ今まで健康的な人がなることが多いですね。

ダニエル社長　ワクチンを打っていなくて、結構健康的だけど、周りでワクチンを打ち出していきなり変になる感じですね。

内海　実際に症状も出るのが多い。

匂いが気になるというのは、まだ大したことがない。

帯状疱疹が増えたと言っていますけど、僕はあれは帯状疱疹だと思っていない。

帯状疱疹もどきだと思っていて、あれもシェディング系の影響があるのかなと思って見ています。

とにかく帯状疱疹のような症状が増えたのは確かです。

酸化グラフェンはトランスヒューマニズムの実験のために入れられているのか!?

ダニエル社長　ワクチンの成分の酸化グラフェンが何とかとよく言われますが。

内海　有害金属が入っているということが言われていて、これもたぶん本当だと思います。

ただ、成分の中には書いていない。

特許書類の中に書いてあるのですが、そこまで追っていく人があまりいない。

オタクじゃないと追わないから、どちらかというと海外のＹｏｕＴｕｂｅで出てくることが多い。

中国の機械系の会社が金属を扱うので、酸化グラフェンの開発とか研究をして、なぜか医療系のワクチンのところとつるんでいる。

製薬会社が外注しているわけです。

そういう構図になっているから、酸化グラフェンがワクチンの中に入っている可能性は大だと思います。

陰謀論者は、酸化グラフェンを入れただけですぐにラジコンのように人をコントロールできるという言い方をしますが、そこまではできないと思います。

マイクロチップをちょろっと入れたからといって、人間をコントロールできるほど甘くはない。

僕は、向こうの言葉で「トランスヒューマニズム」といって、金属人間とか機械人間をつくるための実験をしているという捉え方です。

酸化グラフェンは体にとってすごく悪い金属なんですけども、有害金属をどれぐらい入れたら、どれぐらいの反応が出るか。

どれぐらいの人が死んだり病気になるのかを観察しているイメージかな。

酸化グラフェンが入って体の中に長くとどまるようになると、当然電磁波とか電波の受け皿になるから、影響は受けやすくなるとは思います。

ダニエル社長　可能性としては酸化グラフェンがあり、かつ、トランスヒューマニズム的な、体は金属をどれぐらい許容できるのかみたいな統計データをとっている可能性もあるといった感じでしょうか。

内海　僕はそういうのを観察しているんじゃないかなと思っています。

『コロナパンデミックの奥底』でも酸化グラフェンの話をしています。

有名ブロガーの玉蔵さんとヒカルランドで対談させてもらったんですが、ブルートゥースに反応するという話がインターネット上で盛り上がったことを知らなかった。

僕はワクチンを打っていないから反応しないけれども、確かに反応するんですよ。

玉蔵さんはそれを実験して、ブログにパーンと書いていました。何で反応するのか、酸化グラフェンだけではよくわからないけど、何か隠れている別の要素があるのかもしれませんね。

ダニエル社長　誰も知らないけど、何か別のものが。食と健康と薬についてお伺いしました。ありがとうございました。

第3部

財閥、王族、貴族ら支配者たちの頭の中身（レベル）をもっと深く考察せよ！

Chapter 12
日本は彼らが最も忌み嫌う絶対に潰したい国

コントロールする人々はマフィアのようなもので、決して一枚岩ではない!!

ダニエル社長　超濃密な長尺対談が続いています。

最後は世界と動きについて、直近の事件も含めて、どんなことをお考えなのかというところをいろいろ聞いていきたいと思います。

まず最初に、日本が外資に乗っ取られるとか、世界を牛耳る誰かがいるみたいな話がよくあると思うのです。

ここら辺の流れとか、どういった勢力が、今どんな感じのところに入り込んでいるとか、そこら辺はどんなことを考えていますか。

内海　それは難しいですね。日本はどんどん売りさばかれて、分割されて、亡国の危機みたいな状態であるのは確かだと思います。

中国企業も、多国籍企業も全部含めて、いろんな人が暗躍しているのは確かだと思うんです。

ただ、支配者みたいな存在のことを言うのであれば、支配者層と言われる人たちが単一の思想のもとに動いている1つの集団という発想は、やめたほうがいいと私はずっと言っているんです。

今は「ディープステート」という言葉を使う人が多いですが、僕はそういう言葉を使うのはアホだと言っている。

あんなのはカモフラージュのためにつくられた言葉、本体を隠すための言葉だから、そもそも十何年、二十何年、社会構図とか陰謀論をずっと言っていた人は、「ディープステート」という言葉は使わない。

昔はそんな言葉はないし、まだ「イルミナティ」と言っている人のほうがましです。

「裏の深いステート」というアメリカのイメージです。

アメリカに闇の政府があるというイメージを持たせる言葉ですが、そういうことではない。

ヒカルランドのこの本（『コロナパンデミックの奥底』）は、そういう内容の本になっているんですけれども、歴史上、世界をコントロールしたり支配してきた人はいるので、そういう人たちの歴史をちゃんと勉強しないとダメです。

それは貴族、王族の勉強、国家の衰退を勉強するのと一緒であり、国家と企業が結びついている。

多国籍企業は、財閥とか貴族、王族の手先の組織になりますから、そこを勉強しなければいけないわけです。

世界中に貴族や王族はいますが、みんな仲よくタッグを組んで握手しているかというと、そんなことはない。

イルミナティとかの人たちも、利害が合致するときは組むときもあるけれども、マフィアと一緒だから、次の日にはけんかしだすときもある。

そういうことの繰り返しの中で、現代でもお金持ちたちによる政治のコントロールが進んでいる。

とにかく一枚岩ではないイメージから入り、どれとどれの関係性が薄くて、どれとどれが濃いかを勉強する。

いいと思っている貴族や王族であっても、実際にはそんなこともない。日本の天皇はそれの象徴です。

通常、イギリス王家は悪の筆頭みたいに言われるはずです。だって、フリーメイソンの一番上ですからね。

でも、天皇家と仲がいいし、両方とも悪の手先、陰謀論者らの理屈ではそういうことを言わなきゃいけない話になってくる。

とにかく、僕は王族は嫌いです。

共産主義はもっと嫌いですが、王族とか世界の貴族は世界中で植民地をつくり、土着の民族を全部ぶち殺してきて、私が尊敬している先住民を虐殺してきた人々だから、全て嫌いです。

だからといって全てが一枚岩ではなくて、マフィアみたいなものだという捉え方が大事だと思う。

ただ、日本を滅ぼすということにおいては、今の多くの財閥や貴族、王族の目的は合致していると思います。今、日本は世界で一番、目の敵なんです。売りさばきたい場所でもある。お金もずっとためてきた。

地政学的にもアメリカと中国の間で、アメリカの防波堤として使ってきたが、中国が強くなって価値がなくなったから、もうなくしてもいいだろう、全部取っちゃおうぜと、分けるような状況になっている。

歴史では、欧米人種に戦争で勝った黄色人種は、日露戦争、日清戦争を含め、唯一日本だけです。

世界で一番生意気で、白人系の人が絶対ぶち殺さなきゃいけない、潰さなきゃいけないと思っているのは日本人だと思います。

日本人の思想も邪魔、お金も邪魔、土地も邪魔という感じで、日本が世界で一番狙われていると思います。

ダニエル社長　ディープステートが一枚岩で、コロナやＧＡＦＡで企んでというよりも、１つのマフィア集団であり、国家だったり歴史の流れの１つの企業だったり、そういう感じで考えたほうがいいかなということですね。

内海　ただ、プーチンを正義の味方のようにとる人もいるんですよ。

それもどうかと思うんですけれど、プーチンはロシア至上主義者だから、ロシアが強ければオーケーで、自分がよければオーケーというところが確かにあるんです。だから、正義の味方じゃないけれども、ロシア至上主義者というところで、ロシア人にとっては、ほかの国のやつに身売りしているよりはよっぽどましだ。

じゃ、何でここが戦争をするんだ。

スラブとアーリア系の対立。民族が違うから同じ白人ではないこともある。

ロシアはロマノフ王朝があったときに、ツァーリズム（専制君主支配体制）というのがあったわけなんですけども、そこからレーニンが出てきて、レーニンが有名なユダヤ系の人なんです。

これは今、ロシアでは多くの人が知っている。

スターリンも有名なユダヤ系の人だから、多くの人々が１００年ぐらい前からロシアに入ってきて、その中で共産主義というモデルを実践して、民主主義と共産主義と、どっちがどうやってうまくいくのか、実験していたわけです。

最初はそれを信奉していたんですけど、途中から、俺らはコマで使われて操られるだけだと、多くの市民が気づくようになった。

プーチンはKGBのトップだったから、もちろんそんなことは当たり前に知っているので、死んでもNATOが嫌いです。

それが今のロシアの中にある主たる考え方なので、プーチンは実際にまだまだ支持率が高いイメージです。

それはプーチン一人とか、プーチンの周りのロシアの財閥だけで、世界に勝てるの？　採算が合わない、勝算も立たないのですが、昔からプーチンを支援している財閥がいる。

ロックフェラーなんか目じゃない幾つかの一族が、ロシアを裏から支援している。それは一枚岩じゃないですよね。

そういうイメージで社会構造も捉える必要があると思っています。

貧民が殺される意味では結局同じなので、貧民の立場から見たら確かに同じやつらにしか見えないかもしれないけれども、僕は、その人たちはそんなに仲よしこよしじゃないと思います。

ダニエル社長　ユダヤ人だからみんなつながって、同じ方向で企んでいるというよりも、ここを支援している裏方の人がいて、違うところを支援している人がいて、時には結託して動いている。

内海　ロックフェラーだって、一族の中にも、こんなやり方はもうやめたほうがいいと言っていた人が何人もおりましたものね。本当に死んだ人も結構います。

それ以外の貴族、王族であっても、内側で違うことを言っている人はいるんじゃないかと思います。

ユダヤ人という言葉を使うにしても、アシュケナージ系のユダヤ人とスファラディ系のユダヤ人は考え方は全然違う。

セム系とハム系とヤペテ系のユダヤ人も考え方が全然違うから、中東とうまくやっていきたいというユダヤ系の人も結構いると思います。

そういう人たちは二級ユダヤ人という扱いなので、表には余り出てこない。

イスラエルの上のほうはそういう人たちではないですけどね。

夢は日本発のメタトロンを上回る波動治療器を作ること⁉

ダニエル社長　メタトロンはやっぱり革新的なんですか。

内海　確かにすごく面白い機械です。

ドイツとロシアは一歩ぬきんでていて、ドイツとロシアにはメタトロン以外にも面白い機械はいっぱいあります。

ただ、日本人向きで、出てくるデータが医療にも活用しやすく、見やすい形でまとまっているのはメタトロンかなと思いますね。

ただ、革新的かと言われたら、古くからある機械と技術の延長なので、日本人も本気でつくろうと思ったらつくれると思いますよ。

だけど、システム上、つくれないようになっているんです。

だから、僕の医療機器での１つの夢は、日本発の、メタトロンを上回る情報医療機器をつくることです。

ダニエル社長　10年ぐらい前にメタトロンビジネスをやられている人がいて、僕も実際に講習を受けた。確かにすごいけど、この怪しさは何だと……。

内海　理論上ちゃんと説明できないと怪しく聞こえるのは当然で、それをどこに、どう活用するかというのがないと。

話がちょっとそれるかもしれませんが、メタトロンに出ているデータを真に受けると、なりやすい病名とか出てくるけど、全然当たらないんです。

がん患者がメタトロンをやっても、その病名が上に出てくることはない。全然ずれてるじゃん、何も当たらないじゃんとなっちゃうんです。

そうではなくて、読解の仕方があるんです。

それを学んで、古い医学や栄養学の考え方をそこに適用すると、全部のデータは確かにルールに従って出ているので面白いのですが、読み方をできる人があまりいないんですよ。

なので、吉野（敏明）さんに協力してもらい情報医療機器研究会を立ち上げた。

ダニエル社長　10年ぐらい前に受けたときに、こういう細胞がある、今からこの細胞に音波を当てて細胞を戻しますと……。

内海　メタセラピーを当てるということね。

ダニエル社長　確かにそんな感じもするけど、そうじゃない感じもするなあ、といった風に感じました。

内海　その場では何も感じられないと思いますし、その言い方だと半分外れというか、ビジネス丸出しという感じはありますね。

ダニエル社長　読み方がわかっていたら、有効性はかなり高い？

内海　そうですね。ただ代替療法は、今、西洋医学よりも詐欺かもしれない。

一般人が思っている感覚は間違っていないかもしれないですね。

こっちから見ても、うわっ、やらかしまくっとるなみたいなやつばかりですから、終わっている。代替療法は神の方法ではないので、どうやってオーダーメイドして、原因を探していくかが大事なんだけど、代替療法で何でも治るみたいなことを言う。

代替療法の人間たちは西洋医学を批判するときに、必ず製薬会社がカネで医学界や医師会を操っていると言うけれども、代替療法も変わらないですね。

代替療法は、別におカネをかけなくてもできることはいっぱいあるし、おカネをかけるとしても、そんなにかからない。

それに代替療法のほうがもっと一生懸命やらないといけない。

西洋医学のほうはまな板の上のコイなので、言うなりのまま、やっていく感じですけど、代替療法は自分自身をいろんな面で見直していかなきゃいけない。

サプリメントとか、ホメオパシーとか、何か道具をちょろちょろっと使ったら治りますなノリでやっている人が多いですね。全然関係ない。

とにかく大もとを見て、ちゃんと改善していこう。その間に道具が入るだけなので、ちゃんとやらないと代替療法はあまり効果がないと思います。

メタトロンは、精神とか栄養状態とか食べ物のことを示してくれるので、使いやすいですね。

Chapter 13

目に見えてわかるものは、カモフラージュと思え！支配者のレベルは想定を超えて高い⁉

ケムトレイルはマーキングやサブリミナル的なシンボリズムかも知れない⁉

ダニエル社長　ここからは、ＹｏｕＴｕｂｅとかネットでも皆さんが好きなピンポイントの話題を聞いていきます。

「飛行機雲が出ているると、「ケムトレイルだ。あんなにばらまいているぞ」というＳＮＳをよく見るんです。

あの辺に関してはどんなことを考えますか。

内海　ケムトレイルという概念は存在していると思います。

昔は、体制側が、陰謀論でなく温暖化対策で、空に煙をまくと日光の照射に影ができるのでやっていると言っていました。

ただ、今は根拠も何もないまま、過剰に反応している人が多いのも現実なので、もうちょっと冷静に見なきゃいけないと思っています。

日本は、アメリカ軍が中心になってやっていると思っています。

アメリカ本土のほうは、今どうなんだろう。

この2、3年行っていないからわからないんですが、一昔前は、アメリカはあからさまでしたね。

この路線は飛行機は通っていないよねという空に、格子状にケムトレイルが浮かぶので、それを見ると何かやらかしているなと。

話を聞いた人は、最初は陰謀論だろうとなるけど、2時間も3時間も前の飛行機雲が残っていたり、飛行機が飛んでいる横にケムトレイルが出ていると、見比べながら、ケムトレイルってこんな感じと思って見ていました。

なぜやっているかの最終目的はわからないです。

毒をまいていると言われていますけど、それだけで話が済んでいるのかもわからないですね。

ダニエル社長　確かにそこら辺は未知数なところが多いですね。

内海　最終的に誰もわからないことなので、わからないことに対して、根拠薄弱な状態で勝手に結論をつけてはいけない。

今は謎のままにしたほうがいいと思っています。

自分の妄想と認識した上で語るんだったらいいですけど。

僕の妄想は結構ひどいのがありますよ。

２０１５～16年ぐらいにケムトレイルとか、社会論とか、陰謀論の本を書いたんですけど、その中には、ケムトレイルは大気汚染とか日光を防ぐためではなく、有毒物質をまくという目的でさえない。

それがあったとしてもおまけ。模様描きの儀式だという言い方をしていたときもあります。

これも歴史の観点からしゃべっているんですね。

もしコントロールする人や支配者みたいな人がいるとすると、この人たちはシンボリズムといって偶像崇拝で、イスラエルの旗が六芒星だとか、一つ目の何とかとか、ああいうのも一緒ですが、そういうのを発揮するのが好きな人々で、実はすごく儀式的なのです。

世界中の王族、貴族は昔からそうだし、今もそうです。

ケムトレイルが格子になっているのなんかわかりやすいと思いますけども、模様を描いているとか、ロールプレーイングゲームみたいな感じだけど、地球大魔方陣みたいな言い方をしていたこともありました。

シンボリズムは、悪魔崇拝の思想にも入ってくるのですが、見ているだけで人間自身が影響を受けてしまうことを利用する。

これはサブリミナル効果とかに近いですね。

1ドル札にフリーメイソンの目を思いきり描いていますけど、1ドル札を使っているということは、結局のところ、奴隷でいることを無意識で許容しているイメージです。

同じように、世界中にさまざまな模様がありますけど、それをシンボリズムで毎回のように体現していて、日本の町なかでも100メートルぐらい歩いていたら、悪魔マークだみたいにいっぱい出ています。

　そういう状態になっているから、自分たちがどんなにネットで陰謀論を拾ってきて、正義論をぶちかましたところで、千円札を使っているだけで僕らはみんな悪魔崇拝者なんですよという感じです。

　野口英世の千円札は、フリーメイソンの目と同じで、顔も半分ずつ違うし、後ろの山に目が映っている。

　あれは偶然では起こらないですね。

ダニエル社長　それは面白いですね。
　ケムトレイルの飛行機雲のようなものは、有害物質というよりも、支配者によるマーキングとかサブリミナル的なところがある。

内海　マーキングというのもあるんじゃないかなと思って。

　これも完全に妄想だけど、僕は精神療法者なので、精神療法をするときは患者の無意識の領域を追っていかなきゃいけないわけですよ。

　本人が隠している本音さえも全然浅いところなんです。

　必ずもっと根深いトラウマがあるという観点から、患者と一緒に考えていくんですけど、同じ発想だと思うんです。

どんな本でもどんなネット情報でも、これが真実だと言われたら、それは違う、絶対にカモフラージュだと思っている。

それは浅はかな表面上の情報だ。裏にはもっと別の意図がある。

そういうものでないと、陰謀論者が言っている支配者のレベルには及ばない。

ダニエル社長　目に見えてわかるものは、もはやカモフラージュの可能性があります。

ビル・ゲイツでさえ彼らの〝いけにえ〟〝楯〟にすぎないと思ってよい!!

内海　話が変わるかもしれないですけど、陰謀論と言われる類いのものは、私も理解できるものとか、確かにそうだなと思うものもあります。

支配者系の人がもっと支配したいんだったら、陰謀論なんて全部たたき潰して、インターネットでも一切見れないように簡単にできると思うんです。

しかし昔からわざと垂れ流していますから、垂れ流す必要があってやっている。

インターネットから拾ってきた陰謀論を真実だと飛びついているうちはダメ。

例えばロックフェラーとかロスチャイルドという名前が出てきても、ああいうのは門番みたいなものです。

裏にもっと金持ちがいる。貴族より強いやつがいる。そいつを隠すためかもしれない。

陰謀論を垂れ流していれば、市民たちは、「そういうのは陰謀論だろう。これが真実だ」とよくケンカをするんです。

上にいるやつは、「アホや。こいつらはまたこんなことでケンカしよって。何も知らぬくせに」と、自分たちはずっと安泰です。

いろんな意図があって、陰謀論は垂れ流されていると思う。構図があるのは認めるんですけれども、パッと飛びついて「これが真実だ」と言うのは、本当にやめたほうがいいと思います。そんな構図はどこでもあるじゃないですか。僕らの周りでもあるし、大人のお金持ちの世界でもあるし、子どもの中の世界観でもあるかもしれない。人間はどこでもそういうことをやらかすと思う。

ダニエル社長　例えば、コロナ、ワクチンでビル・ゲイツが……というわかりやすい話も、やっぱりカモフラージュですか。

内海　僕は昔から、ビル・ゲイツはイルミナティのPC部の課長と言ってきました。係長かもしれぬ。係長が代表取締役のようにしゃべるなと言ってきたんですけど、それを見てきた人たちが、「ビル・ゲイツが」と飛びついているのを見て、言っても無駄なんだなと。

日本市民も日本以外の人も、みんな悪の構造をつくりたいんですよ。

目に見えて叩きたいやつを、いけにえ的につくればいいわけです。

ビル・ゲイツがダメなやつなのはよくわかります。それは認めますけども、むしろ表に出てきて矢面に立っているいけにえだもの。

僕からすると、もっと上の人を守るために壁をつくっているイメージにしか見えないもの。

ダニエル社長　ビル・ゲイツはいけにえという感じですね。

内海　ワクチンも、コロナも、今まで何百回、何千回もやってきたプログラムのほんの1つにすぎないのです。

遺伝子組み換え食品をつくって世界中に広げたときに、あり得ないだろうと騒がれていたわけです。

それはモンサントという会社が買収されることで一段落したんです。だけど、モンサントの企業名が消滅して「やった！」ではなくて、「この会社は役割を終えたから潰しておけよ。アホどもに賠償金をちょっと払っといて」と。

それでもアメリカではみんな「勝った！」というけど、それが勘違いの始まり。明らかにされないよりは、されたほうがいいんですけれども、これは次のレールが決まっているからです。

次はゲノム編集とかフェイクミートとか、そういうものにどんどん進んでいくことは、レール上、決まっている。

遺伝子組み換えとモンサントの役割は終わったから、とりあえず買収させておきましょうとバイエルに買収させたのです。

同じように、コロナも次が待っているんです。

ダニエル社長　なるほど、興味深いですね。

人工地震説も人工地震と騒がれてない地震のほうが、本当かもしれない!?

ダニエル社長　人工地震説に関しては、どんなことをお感じですか。

内海　僕は、人工地震説が真実だと言っている人を結構批判しているほうです。

今や核爆弾とかいろんな技術がありますから、地下10キロに核爆弾を埋めたら思いきり人工地震を起こせます。

震度6とか7とか起こせますけれども、今の大きい地震は全部人工地震だとしか考えない人が増えたので、すごく問題だと思っています。

東日本大震災とかほかの地震でも、昔から大地震が起こる国とか地域はいっぱいあるわけで、日本はその代表です。

昔は核爆弾を埋められないし、全部そのせいにできるわけがないのです。

自衛隊の元陸将補の池田整治さんは、オウム真理教の事件に自衛隊で唯一対処した人だから、軍部の話にもめっちゃ詳しい。僕らが外から見ているのと全然違う。

昔、池田さんといろいろシンポジウムをしたり飲み友だったので、しゃべっていたときに、人工地震の話をしたことがあります。

池田さんが一番嫌いな陰謀論が、地球深部探査船「ちきゅう」号の人工地震説だと言っていました。「ちきゅう」号という潜水艦が核爆弾を海溝に埋めて、ボーンと地震を起こさせるという説がインターネット上で語られているんですけど、アメリカ軍の最先端の技術でも絶対無理と言っていた。

「ちきゅう」号のクルーも彼は知っているから、あの陰謀論が一番イヤと言っていました。

３・11のとき、僕もいろんな説を見て、どれが本当なのかなと思いながら探していたことがあって、その延長で池田整治さんに話を振ったのです。

疑問に思っていたことをストレートに言ってくれたので、これはウソを言っているとは思えない感じですね。

熊本の地震は、人工地震の可能性があるんじゃないかと思っています。

地震波形とか起こっている場所も不思議な感じがあったので、ああいうのが人工地震の可能性があると言われたら、まだ理解できるとは思いますけど、３・11は現実的に無理じゃないか。

ほかのも、これは違うだろうというのが結構あると思っています。

何カ月か前にトンガで海底火山大爆発がありました。

あれは本当に火山が爆発したのかなと思って、そこさえ疑問に思っているぐらい信用していない。

衛星写真も動画もテレビに出ていました。あの規模で真下から海底火山が大爆発したら、日本列島を覆うぐらいの爆発です。

たぶん100メートルぐらいの津波になると思うんですが、トンガの津波が1メートル半とか2メートルのレベルで終わるの？　という感じでした。

ほとんどニュースにもならずに終わって、その後の話も流れてこないし、あれは何で人工爆破だと騒がないのかと思いながら見ていました。

それに本当に地球の海底火山の爆発だったら、二酸化炭素をどれだけ制限してもムダです。何百兆人の人間が毎日二酸化炭素を使うよりも、爆発でめっちゃ出ます。

ダニエル社長　全部人工地震だと言うのはめちゃめちゃ騒ぎ過ぎだけれども、疑問に思う地震は結構あると思うんです。

内海　人工地震に限りませんけれども、そうやって騒がれているものは違うというのが多くて、あまりそう思わないものの中に隠れている。

ダニエル社長　メディアも取り上げないけど、明らかにおかしいですね。

内海　僕は大体逆にとるので、そういう感覚で捉えています。

Chapter 14
可能なのか!? 支配者のプログラムをかいくぐって、日本を変えていく試み!!

安倍元首相の暗殺の裏に〝支配者の楽しみ〟が透けて見える!?

ダニエル社長　安倍さんの暗殺は、別に殺した人がいるとか、統一教会の闇が暴かれたとか、別の意図があるとか言われていますが、どんなことを考えていますか。

内海　僕も、山上徹也容疑者だけがやったとは思っていないんです。

でも、山上容疑者は知らないと思います。

ネットで何を言われているか把握していませんけれども。別働隊みたいなのがいて、うまくやったんじゃないかなと思っているのは確かです。

インターネットであの事件はおかしいと言っているのは理解できます。

ＳＰとか警察がみんな一方向ばかり向いているのも問題なんですけど、医学的に言っても、右後ろから犯人がやってきて、腕に６発の散弾銃の一つが当たった。

鎖骨下動脈を傷つけて元総理がお亡くなりになったらしいんですが、もともと言われていた首の傷の説明にもなっていないです。

腕から真っすぐ通って、双方の鎖骨下動脈を本当に傷つけられるのかという問題もあります。

心臓が傷ついているとも言われているんですけど、腕から真っすぐ入っただけだったら心臓は傷つかない。

医学的には矛盾だらけなのです。

すごいパワーで傷つけて、弾が突き抜けたら逆側に傷口がないといけないし、肩から心臓や首に曲がらないし、散弾銃の弾は体の中に残っていない。

そんなの見つけられないのは医者と言わない。

外科医だったら簡単に見つける。解剖する時間はいっぱいありますからね。

とにかく医学的に考えれば、あの状態になることには無理があると思います。

だから、首から撃たれたと解釈している人が多いわけなんですけど、第一候補としては考えないといけないでしょうね。

ただ、実はそれもだまされているんじゃないかみたいな発想は持ってもらいたいと思いますし、真実はよくわからない。

ネットで見たことがありますけど、ビルの上から撃っている、あそこに影があるというのは根拠薄弱で、何かあったとしても、もうちょっとうまくやるんじゃないかと思っているので、ああいうのはあまり信用しないですね。

僕は歴史から見るので、安倍元総理の殺人事件も、シンボリズム的なことも含めて、考えている。

1つは、昔、自民党が解散して総選挙に打って出たときに、総理大臣が選挙活動の途中で死んじゃった。大平（正芳）香典票という有名な話がありますけど、あれと同じで、今回も自民党はそれで選挙に勝った。

それよりまんまそっくりなのは、伊藤博文です。

伊藤博文は長州出身の明治維新の英雄みたいな人です。

その人が総理大臣になって、総理大臣をやめてから韓国総督府のトップに立つという歴史があるわけです。

総督府の統監を辞職後、ロシアの財務大臣のココツェフに会いに行くときに、韓国の独立活動家として名を残している安重根が伊藤博文をボンと撃って、死んだことになっているのです。

調べたら出てくると思いますけど、伊藤博文の暗殺は謎だらけとか、ウソという本がいっぱい出てくるぐらい有名なミステリーなんです。安重根は下から3発撃ったことになっているんだけれども、居合わせた人も、角度は上から撃たれていると言っている。

くっついてきた昔の貴族も、国会議員も、秘書も、みんな「あいつが殺したんじゃない」と言っているぐらい有名な話です。

そもそも安倍晋三という人は山口県の出身で、岸信介の孫ですから、岸信介のルーツが明治維新のルーツにつながって、向こうに魂を売った人みたいな話が出てきます。

全部がそのままオマージュになっていて、元総理大臣が撃たれて、違う方角からやられた。

伊藤博文はロシアの財務大臣に会いに行ったんですけれども、安倍晋三元総理はロシアと日本の架け橋になってくれるかもという淡い期待が政界にもあったんですよ。

プーチンがウクライナと紛争を起こした。

岸田総理大臣はバイデンに思いきり従っているから、「ロシアは全然ダメです。あいつらはどうしようもない」と言って、プーチンの怒りを買って、ロシアは入国禁止リストをつくったのです。

そのリストに安倍晋三は入っていないので、自民党の中でも安倍晋三はロシアとつないでくれるのではないか、と。

ガス・パイプラインは一部止められているけれども、ロシアとの交渉人になってくれるという期待が実際にあったらしいのですが、この構図も似ている。

長州の人で、総理大臣で、韓国人にやられた、統一教会の家族がやった感じだから、全部共通しているんです。

こういうのを支配者系の人は楽しむところがあって、陰謀論を言うんだったらそれぐらい考えたほうがいい。

ダニエル社長　歴史とかつながりとか、一般の人が絶対に話題にしないようなところで、実は伏線があるといった感じですね。

内海　でも、誰かが見つけるのかなと思っているのかなと思います。

今、統一教会が叩かれているわけです。

僕もこんな時代が来ると思わなかったけれども、昔から陰謀論者的な人は、統一教会と創価学会が日本を裏で牛耳っていると言っていたわけです。

部分的にはわかりますが、そうしたら、今、何で統一教会は叩かれているのかという話になります。

統一教会は韓国の宗教ですね。

もともと世界基督教統一神霊教会だからキリスト教の団体なのです。

そういう人たちがアメリカの手先として日本に介入して、日本のコントロールに寄与していたわけです。何でそれが叩かれるのか。

中国や韓国の手先とも言われる左翼政党は、共産党とか、れいわ新選組とか、立憲民主も全部、自民党とつるんでいる統一教会を叩いていますけど、陰謀論者はその構図をちゃんと歴史的に説明できるのか。

いろいろありますけど、一言で言えば勝共連合に行き着く。

国際勝共連合という反共団体が１９６０年代の後半ぐらいにあって、岸信介だろうが、児玉誉士夫だろうが、笹川良一だろうが、全部名前が出てくる。文鮮明も絶対出てくる。

アメリカの利権、そのバックにいる貴族、王族、政党も全部含めて、共産主義打破のための人々。

それは政治カラーでいいますと保守のグループです。

自民党も一応保守を名乗っている。

今やろうとしているのは、結局、右翼と左翼、保守と革新の代理戦争であって、もっと言うと世界の勢力図とか貴族、王族の人々は、人民に関しては共産主義のほうに持っていきたいのです。

だから、保守潰しをしなきゃいけなくて、保守潰しのための第一歩として、アメリカから、統一教会はもう要らぬ、そいつらも手先で足切りした構図で、戦っている感じになっているわけです。

そういう観点から見ないと、今の流れはわからないと思うのです。

それをただ政教分離という話だけでやっていると、統一教会のいけにえとか尻尾切りに飛びつくだけになってしまう。

じゃ、創価学会や幸福の科学はどうなんだ。みんなそういうところを考えないのに問題がある。

必ず歴史のほうを理解して、陰謀論的なことも考えるようにするのが大事かなと思いますね。

新党では、参政党との部分的連合もあり!?

ダニエル社長　僕のチャンネルの視聴者にも、参政党の支持者がいるんです。

参政党についてはどんなことを思われますか。

内海　参政党のコアメンバーの人たちは昔からの知り合いでもあり、一緒に似たような活動をしていた人もいますので、僕は比較的好意的に捉えています。

インターネットを中心に、ＳＮＳとかで社会はおかしいと言う人たちは、参議院選挙でほかに期待がなかったからだと思うんですが、参政党にガーッと飛びついていった。

ブームになっていったところはあると思います。

ただ、「比較的」という言葉を使っているのは、確かに社会システムとかいろんなことを言ってくれるし、いいところはあると思うんですけど、僕はあそこまで保守カラーを出せない。

参政党という政党はすごく保守的で、天皇制も、憲法も、社会システムも、右翼的な思想がベースにある。

そういう政治カラーを前面に打ち出していると思うんです。

参政党を応援する人たちは、結局、コロナを何とかしてほしいと期待をかけている人が多いと思うんですが、コロナの話じゃなくて天皇の話ばかりされましたと、僕はすごくたくさん聞いてきました。

それは政治を勉強していないから悪い。

参政党は、同じく保守政党であることから「自民党の二軍」と言われていたところがあります。

政治をちゃんと勉強して、応援したい人は応援するのはいいけれども、政治は、本来、政治思想や社会思想がどうであるかで決めなきゃいけない。

僕は天皇制は今のままでいいと思っているんですけど、天皇制に興味がない人たちにとっては、戦前回帰のようなイメージがあるからイヤだとなるのは当たり前です。その意味では、僕は一緒にはやっていませんけれども、部分的に同じようなところもある。

人間、全部同じになれるわけがないので、部分的に応援しているし、部分的に距離をとったほうがいいところは距離をとって、うまくやっている感じですかね。

僕らはマイノリティー的な政治活動をやっています。

その中でも、政治の流れはよくないということで、来年の統一地方選の中で、保守カラーとは違うけれども今の社会はおかしいとか、コロナ問題から早く抜け出しましょうとか、自民党の改憲草案の内容はヤバくない？　という、もうちょっと中道的なところで一致する人が連合を組んで、政治的な動きにできればなということが、実際進行しています。

そこは参政党とけんかしてもしようがないので、参政党であれ、新しい動きであれ、日本の改善を第一に考えなきゃいけない。

選挙区がかぶったら、ある種ライバルになりますし、かぶらなければ頑張って一緒に応援していきましょうな感じで、新しい動きをやっていければなと思います。

ダニエル社長　参政党から保守色を抜いて、内海先生のいろんな課題意識も入れた政治の動きのようなものを計画されている。

内海　僕だけじゃないです。そこに新型コロナとか、医療問題とか、改憲の問題のインフルエンサーな人が集まる。

　それが政党になったらみんなすぐけんかし合うというのはよくある話なので、薄く連合という感じで、急ピッチで進めています。

ダニエル社長　じゃ、政党ではなくて、連合といったイメージでしょうか。

内海　統一地方選挙のための部分的な連合みたいな感じです。

ダニエル社長　それは新しいというか、いい流れかもしれないですね。

内海　選挙が終わったら、それぞれ頑張っていきましょうという感じで、意見とか主張は結構バラついているところがあると思います。

　小さい違いはどうでもいいから、まずはマイノリティーの声をもう少し広げていく。マイノリティーのままだと何もできない。

　ちょっとぐらい違ってもいいから部分的に連合したら、地方選挙だったら勝てるかもしれないイメージです。

自民党の憲法改正には、なぜ大反対なのか⁉

ダニエル社長　憲法改正とか今ある憲法に関しては、どんなことを考えていますか。

内海　僕は、めっちゃ護憲の人間ではないんですけれども、考えとしては、そこに近いのかなと思います。

とにかく今の言葉で言うのであれば、自民党の改憲草案には大反対です。緊急事態条項を今の自民党が設定して、憲法に載せるのも大反対です。

ただ、改憲派と呼ばれる人が改憲したい背景や理由も少しはわかるので、絶対護憲ではないイメージですかね。

改憲派と言われる人たちは、アメリカの押しつけ憲法だという理論から入っています。それは部分的にはわかります。無条件降伏したのだから、当然といえば当然なんですけれども、日本は保守カラーがすごく強い国で、天皇崇拝が強い国だから、そこに戻したい人々が結構いて、今の自民党改憲草案も大日本帝国憲法に戻そうとしているイメージです。

一般市民から見たら、戦前回帰のイメージを持つのは当然だと思うので、その意味としてもどうなのというのはあります。

自民党の改憲草案の中身を見ればわかりますが、結局、国体とか国を中心にして考えていて、市民とか国民をベースにして考えていない。

国ありきで、国民は国よりも下。

天皇が元首になりますから、まさに戦前回帰のイメージになるわけです。

基本的人権も削減する。

いろんな国民の権限もどんどん削減していく内容になっているわけです。

憲法の前提は、法律と違う。

法律は国民が守るルールで、ある種、国民を縛る。処罰も与えるという内容になっていますが、憲法は国の礎であり、国を縛るものですから、権力をどうやって縛っていくかが立憲主義の大前提になる。

自民党とか国会議員は「それをもっと緩くすればいいじゃん。俺たちは権力がもっと欲しいよ」という内容になっているので、貴族、国会議員、王族が優遇される。

これは憲法の初志に反する内容で、憲法の基礎としてはむちゃくちゃの内容になっている。

これをどうやって決めるか難しい。

国民投票が基本なんですけど、何割の国民が投票に行かないと改憲できないという基準が全くない。

ほかの国が改憲するとなったら、8割以上の人が国民投票に参加するとか、制限がいろいろあるはずですが、発議するのも人数の規定がない。

改憲するのも全体の人数が要らない。

今の改憲草案は、さらに決定比率を過半数に下げているんです。

そうすると、国民投票は投票率が40％でも成立するわけです。

そもそも自民党を応援している人は人口の大体20％前後だと言われているわけですが、その人たちは自民党の改憲案にほとんど賛成すると思うんです。

でも、それ以外の人は選挙を諦めているわけですよ。

そうしたら、最低人数が決められていないから、自民党と自民党のシンパの人たちだけで改憲が通ってしまう内容になっている。

とにかくひどい。

中国が攻めてきたらどうするんだ、国を強くして、自衛隊を軍隊として認めろという理屈はわかります。

自衛隊は実際に軍隊だから、そのことについてはごまかしようもない。

そこはわかりますけど、今の自民党がこの草案を通して緊急事態条項も通したら、実は富国強兵と国防にはならない。このときに陰謀論的な知識が役に立つはずなんです。

自民党は宗教に操作されていると、テレビでも言うようになっています。

その上の人がいるわけだから、そいつらの思惑からしたら、日本と中国が戦争してくれたり、日本がもっと衰退してくれると都合がいいわけです。

軍需産業も戦争してくれたら儲かる。

そうして今まで戦争を起こして頑張ってやって、そのわりにはうまくいかないのが多かったわけです。

そのための準備をいつもいつもしていて、台湾有事も朝鮮半島も筆頭です。

それと安保条約を組み合わせると、日本以外のところで何かしら有事が起こっても、結局、日本が外に軍隊を出していかなければいけないことになってくるので、これは富国強兵ではなくて、戦争に貧民が巻き込まれて、得をするのは上のやつらだけなのです。

それを国防と言っている。

でも、政治家は戦争に行かないです。

もし憲法を変えるのであれば、国民のかなり多くの人が社会構造や社会システムがどうなっているかを理解し、憲法について基礎から、報道も含めて、もう一遍ちゃんと勉強してもらって、改正のやり方の基準、国民の何割以上が国民投票に参加しない限り、この選挙はそもそも成立しませんよというシステムを整える。

アメリカから独立するというか、アメリカの上にいる者からも、ある程度でもいいので独立する状況をつくってから、みんなが憲法を変えたいとなって改正するんだったら、国民の総意だから文句を言いませんよ。

だけど、そうじゃないですからね。

ずっと護憲、護憲と言っていても、現実にはそぐわないかもしれない。

国民の総意がそこまで求めるのだったら、いいと思う。

今はそんなのは全くないので、僕は今は護憲的な発想が強いし、自民党の改憲草案、緊急事態条項も反対です。だって、僕らは要らぬことに巻き込まれていくだけだもの。面倒くさいわ。

自衛隊は実は強いです。

自衛隊がいる段階で実際に軍隊がいるのだから、憲法を改正しようがしまいが、ある程度は大丈夫。

といっても戦争に巻き込まれちゃうかもしれませんけど、国の礎がもっと独立した状態でないといけないと思います。

ダニエル社長　今のまま、自民党の改憲案でいったとしても、戦争になって…。

内海　僕は、お金持ちの都合に合わせられていくと思いますよ。

だから、ダメだと思う。全体が民主主義の本質をもう少し考えるようになって、投票率ももっと上がれば……。

みんな政治を諦めているわけじゃないですか。

気持ちはわかりますよ。僕だってそういうところいっぱいあるから。それをみんながそうじゃないというところまで持っていかない限りは、憲法改正という話にはなり得ないと思いますね。

ダニエル社長　世界と政治とか闇の勢力のところで、人工地震、ケムトレイル、安倍さんと、ピンポイントで聞いていきました。これもすごい話になりましたね。

内海　ただ、思うまましゃべっただけです。

ダニエル社長　めちゃめちゃ面白かったです。

ということで、きょうは内海聡先生に来ていただきました。ありがとうございました。

内海　どうもありがとうございました。僕もＹｏｕＴｕｂｅとかニコ生もやっておりますので、もしよければご覧いただければと思います。

Chapter 15
ダニエル社長の立ち位置は!?　既存のやばい体制をひっくり返す!!

「ダニエル社長」の名前の由来

内海　そもそもダニエル社長は何をされている人なんですか。

ダニエル社長　僕はWeb系のプロデュースだったり、コンサルだったり、YouTubeチャンネルも結構いろんな企業のプロデュースをしていたり、そういう裏方のプロデュースとかコンサルをやっています。

内海　何で「ダニエル」なんですか。

ダニエル社長　ダニエルに関してはいろいろ話もあるんですけど、端的な話で言うと、僕は楽天という会社にいて、そのときはニックネーム制で「ダニエル社長」とつけていたんです。

このダニエルに関してはそもそもどこから来たのかというと、旧約聖書の預言者ダニエルに基づいています。

社会の流れではない、本質的なところでいきたいということで、ダニエルという名前をつけています。

内海　Ｗｅｂ系のマーケティングをしていて、楽天に勤めていた。

失礼な言い方をあえてしますが、体制派みたいなイメージなのに、こんな本を書いちゃって、ＹｏｕＴｕｂｅもいろいろやって、どの辺からそんなことを考えるようになったんですか。

ダニエル社長　このコロナが大きなきっかけですね。

ＹｏｕＴｕｂｅでも普通のニュースとか時事ネタをずっとやっていたんです。

ここ2、3年ぐらいで、どうやらコロナは裏でいろいろヤバイぞという問題意識があって、スピリチュアルとかそっち系の人たちでなくて、僕のような感じで働いている人とか会社がこういう発信をするのはたぶんなかなかないと思うんですけど、そこら辺でいろいろ気づいて発信をするようになりました。

ただ、今コロナでSNSとかYouTubeに転がっているものは、さっきのケムトレイルの話じゃないですけど眉唾物が多くて、普通の一般人が聞いても、一瞬で陰謀論になっちゃうじゃないですか。

そうじゃなくて、厚労省とか、財務省とか、ちゃんと国のデータから、コロナの特にお金回りですね。

内海　マーケティングが専門ですものね。数字にはめっちゃ強そうだもの。

ダニエル社長　一般の人がちゃんと議論できる土台で発信していきたいなというところで、YouTubeで続けてきました。

内海　だから、書籍のタイトルが『コロナと金』なんですね。

ダニエル社長　僕が内海先生のようにコロナとワクチンとか言っても、権威性というか説得力がないので、コロナと金という切り口で発信しました。

内海　確かに医者以外の人が医学のことをいろいろ言っても、あまり聞いてくれないかもしれないから、お金のほうから入っていったのは、いい視点だなと思います。

「元厚労省キャリア官僚A氏」もYouTubeに出てきますね。見た。こういうのもいいですね。株価の話題もちゃんと入っていますね。

ダニエル社長　ロシア、ウクライナもそうですけど、アメリカのロッキード・マーティンとかボーイングの株価とか売り上げもめちゃめちゃ高くなっていますし、ＧＡＦＡ系とかオンラインの株価もめちゃめちゃ上がっています。

そういう視点から、お金の流れとか、闇深くないですか？　という感じの本にしています。

あと、国のコロナの広報サイトは、Ｗｅｂサイトの運営だけで年間何億円かかっているとか、そういうお金視点で、ちょっとヤバくない？　という感じで。

内海　結構実名が入っていますね。

サービスデザイン推進協議会は、電通、パソナ、トランスコスモスが設立した協議会と、思いきり名前を出しています。

でも、これは公開されているんですものね。この怪しさを言われているんですね。

これ、大丈夫なんですか。訴えられないんですか。

ダニエル社長　そういうのがあるかなとは思っています。

内海　楽しみに待っている感じですか。

ダニエル社長　ちょっと楽しみに。それも含めてのコンテンツかなと思っています。

内海　やってこられたほうが話題性は出る。

名誉棄損裁判なんて、その中身を流したら相手もドツボにはまるかもしれないから、それはそれでいいのかなという感じはします。

クリニックの名前も書いてあるよ。

ダニエル社長　製作卸メーカーとか、隔離のアパホテルが幾らもらったとか、そういうのは厚労省の資料から出しています。

内海　視点がいいですね。そのほうがやっぱり利権が見えやすいので、いいんじゃないかと思います。

ダニエル社長のＹｏｕＴｕｂｅは、僕も全部は見ていないんですけど、今までどんな人が出てこられたんですか。

ダニエル社長　宗教系、政治系、コロナ系で、例えば元厚労省の木村盛世さんとか、中村篤史さんという医師とか、京大のウイルス研究の宮沢孝幸先生とか、直近だと政治系でごぼうの党の党首の奥野卓志さんとか、ＮＨＫ党の立花孝志さんとか、参政党の神谷宗幣さん、坂上さん、野中さんという看護師の方などが出演してくださいました。

内海　知ってる、知ってる。

ダニエル社長　宗教系でいうと、元オウムの上祐史浩さん。幸福の科学の息子さんの（大川）宏洋さん。対談の中心は宗教、コロナ、政治、そこら辺に出ていただきました。

内海　有名な人ばかりに会われています。

　僕もそこに入れられたんですね。申しわけございません。

ダニエル社長　たぶん相性が一番いいなと思いました。

内海　ごぼうの党の奥野さん、試合で結構やらかしてくれました。試合の後ですか。

ダニエル社長　試合の直前で、編集も同時並行でやっているときで、そうしたら奥野さんからメッセージがありました。

　奥野さんは「消えるメッセンジャー」のようなものを使って連絡してくるんですけど、「こんな事件があったよ」と。

　僕はメイウェザーの試合をマークしていなかったので、何だろうなと思ったら、花束を投げて、ヤフーニュースとかでトップになって炎上していました。

このタイミングで出していきましょうかと、炎上した次の次の日ぐらいに動画を4本立てぐらいで出したら、シリーズ累計で何十万再生もいきました。

奥野さんも、さっき言っていた歴史ではないですが、国が乗っ取られるとか、緊急事態条項とかの問題意識を持ってやっている方で、また参政党とも違い、NHK党とも違い、新しい動きは感じましたね。

あとは、朝倉未来さんとか、ヒカルさんとか、てんちむ（橋本甜歌）とか、ワンオクロックのTakaとか、いろんな芸能人系とかインフルエンサー系を押さえているので、若者がめちゃめちゃ注目してくれているんです。

僕の周りのモデルさんとかインフルエンサーの子も、ごぼうの党の奥野さんは前々から知っていてファンですと。これも面白い流れだなと思っています。

コロナを皮切りに、ごぼうの党とか、参政党とか、NHK党とか、政治に関心を持つ新しい流れが出てきて、僕はすごく面白いなと思っています。

内海　NHK党の立花さんも、奥野さんも会ったことがないんですけど、奥野さんに関してはメイウェザーのを見ていて、僕はあまり好きじゃないので、ダメ出ししたところがあったんです。

立花さんというのはどんな感じの人なんですか。ホリエモンなんかとつるんでいるから全然……。

ダニエル社長　立花さんに関しては、政治にこだわりがそんなにないというか、注目をちゃんと集めて自分の目的を達成する、ある意味、政治マーケティングのようなところが強いと感じています。

内海　お金儲けみたいなものですか。

ダニエル社長　政治を数字とりのような展開で見ていますね。

今回、ガーシーを起用して、ちゃんと得票数を取りました。

内海　１議席とったからね。

ダニエル社長　それも含めて、型破りで、数字をちゃんと押さえに行くマーケティング屋のようなところがありますね。

立花さん自身もともとＮＨＫにいて、ＮＨＫの賄賂とか汚職とかそういうのを見て、これはヤバイから変えていこうという正義感で、政治とか週刊誌のリークとかに入ったらしいんです。

ただ、週刊誌に出ても世間がそんなに注目していない。まず芸能人のゴシップとか、お金とか、そういうので世間から注目されないといけないんだなというところから、NHKをぶっ壊すというのが始まったらしくて、あとはユーチューバーのガーシーを引き入れたり、すごく合理的に数字をとっていく頭のいい人だなという印象です。

次の衆議院選挙は、ヒカルとか、島田紳助とか、青汁王子とか、20人ぐらいのユーチューバーに声をかけて、一気に得票をとっていくという戦略を話しています。

内海　そういう人は乗ってくるんですか。

僕も名前は聞いたことがあるんだけど、会ったことがない人ばかりです。

ダニエル社長　最近、立花さんは、青汁王子とか、ヒカルとか、与沢翼とか、ホリエモンと結構絡んでいて、着々と信頼関係をつくっています。

かなりの得票数をとって、変えていくんじゃないかなという勢いをすごく感じました。

内海　ごぼうの党とNHK党は芸能界に近いから、つながりそうですか。

ダニエル社長　どっちかというとNHK党は、ホリエモンとかも含めて、ユーチューバーとか、ビジネスとか社会人層もとりにいけるような人たちとつるんでいて、ごぼうの党は、ワンオクロックとか朝倉未来とかの芸能人、ウェイ系の人たち、パリピ感もついていけるような人で、支持している層が全然違うという印象もあります。

内海　ダニエル社長のＹｏｕＴｕｂｅはどういう方向で行くんですか。

僕は潰されないためにお遊びだけで流しているような感じはあるんですけど。

ダニエル社長　例えば政治でも、どこがめちゃめちゃ好きで応援したいということではなくて、既存の体制をひっくり返す勢いがあるところはどこも応援したいので、単純にどの党の意見もいろいろ聞きたいです。

結構フラットにいろんな人の意見を聞いて、それぞれが考える視点というか思考力をつけてほしいです。

なので、政治にしてもいろんな政党と話しますし、宗教も、コロナ系も、そういう方向性を目指しています。

内海　そんなところに呼んでもらってすみません。

「世界一嫌われている医者」と自称しているので、俺を呼んだらヤバくない？　というのがあったんですけど。

ダニエル社長　めちゃめちゃいいお話が聞けました。

Chapter 16
真相を抉るスモールトーク集

フラットアース

ダニエル社長　フラットアースについてどういう考えですか？

内海　大嫌いです。３次元説が否定されるのだったら、僕はずっと昔から、４次元説にしてくださいと言っている。

地球の球体に矛盾があるとしても４次元説のほうがまし。

２次元説に戻らなければいけないのは復古主義、中世への原点回帰でもあり、奴隷化されている。

上から言われているからそうだと言う。これがキリスト教の悪いところです。

そこに戻りなさいと言っていること自体が誘導の極致。

自分たちがこうだと決めなければ楽な立場でいられる。

原始回帰、奴隷化はあっち側の考え方だから、どこからともなくあらわれたフラットアースは、キリスト教原理主義であり、あっち側が意図して流したものです。

それを陰謀論者が飛びついているのだから、こっけい以外の何物でもない。

船に乗っている人は、日本に近づいていくと富士山の頂上が先に見えます。

飛び出ているから見えるわけですけれども、丸くないとそれも説明できない。

そんなことは言い出したら切りがなくて、いっぱいあるんですけれども、それをどう説明しますかとなったときにフリーズ。

それぐらいは科学的というか、いろんな意味で説明できないとダメでしょう。

説明できる人は見たことがないですね。

それを言っている人たちの背景とか、ちゃんと調べないといけません。

トランプ

ダニエル社長　トランプは、どう捉えていますか。

内海　トランプはスパイです。

よく言っても彼はホテル王だったので、イメージ的に成金です。

それに対して旧財閥がいっぱいあって、クリントン、ブッシュ、ケネディ、ロックフェラー、その他いっぱいあるけど、そういう人たちは先ほど言ったように一枚岩ではなく、いろいろです。

娘婿のクシュナーはイスラエルと大の友達で、ユダヤのど真ん中です。

６６６ビルというのを持っているぐらい、有名なあっち側の人です。

その他にもトランプはやらかしまくっていることが山ほどあって、ジェフリー・エプスタインは大のお友達だ。

トランプは小学生に性的暴行をしていたということが公式発表されたぐらいですから、トランプをヒーローに扱うことは相当ヤバイ人でないとできない。

玉蔵さん自身がはまっていた。

そのときに、どこかにすがるところが欲しいと正直に言っていましたけど、それはわかります。

――あまりに世界がひどいから、誰かにすがりたかった。

ダニエル社長　この混乱で、敵なのに味方なのか、わからないところで。

内海　ヒーローを求めたいということだと思うんですよ。

でも、政治家のトップにヒーロー像を求めるのは無理があります。

安倍晋三に対してそういうのを持つのと、岸田、トランプ、バイデンにそれを持つのと、大筋は変わらない。

そもそも陰謀論のいいところは、下からしか変えようがないとか、人数でしか変えようがないという話だったのに、ヒーロー願望を持ってどうするんですか。

そこが大前提だと思うんです。プーチンもそれは一緒だと思います。

ただ、プーチンとかトランプは旧財閥とは違うカラーを持っているのは確かなので、みんなヒーローに仕立て上げたいんだと思います。

でも、そこはうまくいかない。

ある程度は予定調和、ある程度はプロレス、そういうのがあっての構図だと思う。

それに日本人はとにかく飛びついちゃう。

ダニエル社長　トランプ応援ネタとかフラットアース・ネタとか、再生数が異様に伸びていますね。僕はほぼ触れていないです。

内海　グアンタナモとか、本当に根拠薄弱です。

Qアノンには、ハリウッドでみんな逮捕されているとか出てきますけれども、僕はロスに住んでいる人を結構知っていますが、普通にその辺にいるので、それを見て、みんなQアノンはアホやと思っているのが現実です。

そうしたら、今度は全部GPSを足につけているとか、必ずゴムマスクをしていると言われても、それで直接会話をしている人がいっぱいいるわけじゃないですか。

ハリウッドの俳優でなくても、行きつけの店に来てというのがいっぱいいると思う。

それも全部ゴムマスク人間だという話になっている。ついていけない。


――クローン人間もいることになってますよ。

ダニエル社長　確かにゴムマスクもセットで言われますけど、それは受け付けないですね。

内海　僕は、そういうのは全然信用していない。陰謀論には初歩的におかしいよねというのが多いので、僕は信用しないです。人間社会は、結局、中間層が表舞台でいろんなことを決めている。

安倍晋三は自民党が売った

内海　僕は安倍晋三を殺したのは岸田とアメリカだと思っています。いけにえに差し出されたんだなと思っている。自民党が売った感じですよ。
だって、長野で講演する予定だったのが、１日前に変わった。統一教会を憎んでいるやつがその情報を何で知っていたか。警護をあんな感じでやっていたことも、矛盾だらけで。

――国葬は怨霊鎮め。日本は怨霊思想があるから。

内海　本当にそうです。

――岸田もかんで、菅が絶対に裏で。菅はＣＩＡ、ＫＧＢの日本版みたいなところもあるらしい。

内海　やられたところ、大和西大寺は、関西五芒星のど真ん中でしょう。平城京のど真ん中、五芒星のど真ん中で神道政治連盟の元会長の安倍晋三が殺された。

いけにえとしては最高な感じです。

場所がど真ん中ですから、あんなところでなかなかやれないですよ。

――高市早苗の選挙区ですね。

内海　全部がそういうのを指し示している。

ダニエル社長　オマージュというか、マーキングのような。

――だから、菅も国葬のときに何回も……。

内海　お涙話を言って。そこまで言わないだろうと思って、白々し過ぎた。

――あれは怨霊が怖いから。そんなふうに捉えると一番わかりやすい？

ダニエル社長　感動のスピーチ、すばらしい、話題になっていました。

内海　それも安倍晋三が半分招いたとも言えますよ。

自分が総理大臣をやっていたときに、どれだけ周りを抑え込んで、忖度させて、権力になびかせたか。

だから、陰の恨みがたまりまくっていた。

みんな表向き、つき従っていたふりですからね。

権力闘争の世界ではよくある話だと思うんですよ。

王族、貴族の権力争いで、殺して、「君が死んで悲しい」という文章を読みながら、裏でほくそ笑んでいる。

そのイメージしか湧かなかったですね。

スピリチュアルと物理学

ダニエル社長　確かにＹｏｕＴｕｂｅなどのコメントを見ていて、この人たち、文章も動画も読まずに、飛びつきたいものを渇望しているなという感がすごくて。

文脈も何もなしで、自分の信じている持論を展開したいといった感じですね。

そこに肉づけする何かを知りたいという感じで動画を見ている人が多い。

――自分の思いたい世界を補強してくれるものが欲しい。

内海　それが正義論というものですね。

精神を考えることは、いいことだと思いますけど、今のスピリチュアルは表向きだけというか、慰めるためとか、とりあえず自分たちはすばらしいんだと思わせたい。

そういうのが多いから嫌いなんです。

――「スピリチュアルは我々がつくった」と言ったのは確かキッシンジャーですね。

内海　スピリチュアリストであれば、本来は今のスピリチュアルとか、現代精神論とか、心理学も精神学も全部含めて、もっと文句がないとおかしいはずですよ。

闇を見ていない。古くから人間の中にはそういう精神があるので、闇を見るのだったら文句はそこまで言いませんけど。

ダニエル社長　確かに軽いパッケージが増えましたね。

宇宙とつながって、引き寄せの法則系の人たちが増えた印象です。

内海　自分らを特別に思いたいんだね。

引き寄せの法則は周波数の物理原則からできているわけですから、闇のほうをむしろ引き寄せないといけない。

自分の中にある強いものの周波数と同調して、闇を引き寄せる。

「私は絶対に光側です」みたいなことを言うから、「ＳＨＩＮＥ」という話になるんです。

――食べ物の周波数もあって、食べると周波数が上がるんですか。

内海　上がるものもあれば、下がるものもあります。

周波数が高いも低いも本当はないんです。

周波数の原則からすると、自分が持っている周波数が安定する周波数と、しない周波数があるんです。

それは高い、低いは関係ないです。

高いという考え方をすること自体、優生学の延長線上にとらわれている。

物理の世界観には、そもそも高い周波数というのはないんです。

例えばロシアの物理学も、トーションフィールドとか、スミルノフもみんなそうですが、例えばスミルノフの考えで言えば、万物は右回転と左回転しかない。

それによって全てが成り立っている。

右回転が善とか、左回転が善とかはない。

これが強いか弱いかということで万物の形ができる。

健康であろうと、不健康であろうと、社会問題であろうと、こっちが行き過ぎているから問題が起こっているという捉え方しかしないので、こっちが強ければ弱くして、あっちを強くすればいい。

一般のレベルで認識している問題は、そういうことによって解消されることを言っているだけです。

こっちが強いから善とか悪というのはない。

そもそも善悪がないところから量子力学的思想は始まっているはずなのです。

――トーションフィールドもそういうふうに考えるんですね。

内海　メタトロンは赤と青のラインがあって、その状態を示しているわけです。

それが離れていたり、ずれていたりすると、一応問題だ。

再生と破壊が同時ぐらいに起こっているほうがいいわけです。

――交わっているほうがいいんですね。

内海　それがずれているということは、破壊のほうに進んでいるかもしれない。

再生もやり過ぎになると実は問題が起こる。

それが同じラインぐらいに重なっているといいことになるのです。

メタトロンのメタセラピーは、周波数をかけて補正するというのがありましたけれども、それも反転するだけなので、こうやってずれていたら、こうやって周波数をかければいいだけの話です。

何かすばらしい周波数があって、それをかけていたら、よくわからないけどよくなったは、理論上はおかしい。

本来の周波数治療はノイズキャンセル理論で、周波数を反転させて、ずれているものをキャンセルする。

もとに戻していくことで、起こっている問題が少し消えていくだけです。

これは心理学的に言うと、発想を転換しているのと同じになります。

そういうことをやっているだけです。

今、万能のように扱われているかもしれないですね。そんなことない。

――レイモンド・ライフは１９３０年代にがん患者をほぼ治してしまった。それは１００万単位の周波数です。めっちゃ高い。

内海　あの時代は、がんになる理由も限られていて、僕は細かくは知らないんですけど、実験を重ねながら、これがいいというのを幾つか見つけたと思うんです。

――カリフォルニア大学とも組んでやっていた。

内海　あの時代は、まだまだがんが少なくて、がんになる理由も、今の時代より絞られていた。

だから、周波数も選択しやすかったのです。

今はバラバラでグチャグチャですから、無数の原因があって、どれもこれも全部遺伝子を壊し問題を起こすので、それ見つけ出していきながら周波数をかける努力をしなければいけないのですけど、そうしていないから。

実際には、レイモンド・ライフの機械は今でも受け継がれているんですけど、効かないと言って来る人が本当に多いです。

だって、今の時代に適応できないもの。

――複合理由だから、1つの周波数では無理だということですね。

内海　メタトロンでは弱い。僕は、メタトロンは測定機的なイメージで捉えています。周波数の補正ということだけで言えば、バイコムとかイメディスとか、ホメオパシーのほうがまだ強いかもしれない。

でも、本当は、それにもいろんなやり方がある。

日本で、独自のものをつくろうと思う。

――日本独自で何かあるといいですね。

内海　機械工学はあるらしいですよ。紹介された。

――バイコムも30回ぐらい受けました。面白いですね。

クリスタルカラーライト・セラピー

内海　鷲津誠さんを知っていますか。

この人も変わった機械を機械工学者と一緒につくった人で、面白いですよ。

吉川（忠久）さん、吉野（敏明）さんとやる11月27日の情報医療機器研究会のシンポジウムに、鷲巣さんを特別講師で呼んでいます（２０２２年開催）。

獣医さんで本当に凄い。

クリスタルカラーライト・セラピー（ＣＣＬＴ）といって、フィボナッチ数列の話を応用した機械になっているんです。

こんなの、よく考えたなと思う。

鷲巣さんの弟子のホリベさんが、また面白い。

お弟子さんのほうがまだわかりやすい。この人は治療家ではないんです。

ジンギスカンの飯屋をやっているおばちゃんが、そういうのにはまって。

その息子がまた変わっていて、不登校とかいろいろ持っていたはずなのに、元気になった。

本当にオカルトな現象だけど、その機械を使っていると、患者の悪いところと同じ自分の部位が痛くなる。

何でわかるのか。超能力者ではないんです。

――ぜひ、紹介してください。

内海　その機械は周波数を発生するんだけど、その周波数を当てながら、昔の木を使ったトンカチみたいなもので叩くと、痛いところと痛くないところが分かれる。

経絡にどう反応しているかのイメージです。めっちゃ痛いんですよ。

鷲巣さんも、それで叫びまくったらしいですよ。

機械の開発者が叫んでどうするねん（笑）。

サドとマゾ

ダニエル社長　ＳとＭの形成の仕方はどんな感じですか。

内海　サドとマゾは表裏一体としか言えないんですけど、いわゆる深層心理問題です。そこは専門なので。無意識の領域の話です。

精神的な学問の話であれば、今サドであるかマゾであるかは大きな問題ではなくて、最後は幼少期とか赤ちゃん期、胎生期に行き着いてしまうのです。

サドであるかマゾであるかはまさに表裏一体で、どっちであっても前提にあるのはトラウマと承認欲求という問題に行き着く。

ダニエル社長　どちらに振れても。

内海　それに対しては、当然、自分自身、自覚していない。

自覚していても勘違いが多いので、そこから読み解いていきます。

ＤＶをしている人は、一般的にはＳになると思うんです。

ダメンズウォーカーの人は、一般常識ではＭになると思うんです。

逆に女がＤＶをするのは表向き難しいんですけど、ＤＶも形を変えるので、女だと一番よくあるのが、結婚した後に男が先に死に、女が絶対生き残る。

遺伝子は必ず半分ずつまざっていきますから、それだけでは説明できない。

それを繰り返すのは、遺伝子学以外の問題を考えないといけません。

そういう話は家系問題から始まるので、幼少期の話を聞くことになるのです。

ＤＶをしている男が幼少期に戻ったときに、一番オーソドックスなのは父も何かやっていて、引き継ぐのはよくある。

女がダメンズウォーカーなら、自分の母親もダメな父親をサポートしたり、言いなりになっている。これが一番わかりやすいと思う。

ダメンズウォーカーって結婚していないイメージですが、実際には結婚してようがしていまいが、見ている子どもは、こんな母親になりたくないと思いますね。

でも、それをわざと同じようにやるのです。

何でかというと最終的には承認欲求の話に戻らざるを得ないんですが、ここから先は難しいのです。

そうやって考えたら、ＤＶしている男がいて、実はそれと似通ったり、構図は違えど変わらない。

旦那に尽くしまくって不幸な夫婦関係の母親の娘がダメンズウォーカーになるのも、実は同じ構図である。

またわざとやっているよねみたいなことで、幼少期トラウマ、承認欲求の話に戻る。

本人は自覚できないですね。

それと病気がめっちゃ関係するのです。

乳がんとか子宮がんはそんなのばかりです。

ヒカルランドの本では、『霊障医学』の奥山（輝美）さんはその辺を言うんじゃないですか。

どちらかというと伝統医学のほうですね。

それが宗教になるとチベット密教とか仏教系の話。

キリスト教にもそんな考え方がないわけじゃないけど、それをさらに宗教っぽく言うと、カルマとか業（ごう）とかの話になる。

でも、実際に現場を見ていると、丸出しやな、みたいなやつしかおらぬので、食べ物だけではダメですね。食べ物は気をつけて当たり前です。

違法ドラッグと精神科の患者

内海　芸能人を見ていても、みんないろいろありますからね。

会ったこともない人でも。

僕の世界では、違法ドラッグヤク中が一番わかりやすい。

精神科の患者も同根で、同じような物質を飲んでいるわけで、合法か違法かの違いです。

精神科の患者は中毒性や破壊性がないと思っている一般人が多いのです。

でも、実は変わらない。違法ドラッグだと何となくわかる。

違法ドラッグに走る人は絶対に家庭崩壊しているでしょうと、一般人も思うわけです。

確かに前提としてある。

芸能人の子どもが違法ドラッグの中毒者になっている。

もちろん物質上の依存性もあるんですけど、精神依存性のほうが高いです。

そういう親がきれいごとを言っているのを見た瞬間に、「さすが、毒親」と思って見ちゃいますね。

清原和博とか華原朋美も本当にそのままです。

その辺の情報も結構入ってくるので、例外なくみんないろいろありますね。

最初は中学生とか高校生のときに、日本だとシンナー、ソフトドラッグから入る。ＬＳＤ、マリファナ、最近はハーブ系、前は合法ハーブと言っていたけど今は脱法ハーブと言うのです。

ヘロインとかにいきなり飛びつくやつはそんなにいない。

これはアメリカも一緒ですね。そうすると、どうしても狂ってしまう。

どっちにしろ精神病院に入ることになるんですけど、そのときに、薬を抜いたりという対処はしないのです。

精神的な対処もしない。医療的な対処もしない。解毒の対処もしない。

やることは決まっていて、精神薬を上塗りするというのが基本です。

精神薬は麻薬だから、マリファナだろうがＬＳＤだろうが、ほかの薬をやめられるのです。

その科学的構造を理解すれば同じことをやっているんだけれども、精神薬はそういうものではないと思っているから、みんな満足するんです。でも、そこからやめられない。

依存心とかいろんなことを理解して、その人が自己否定できない限り無理だ。

それは違法ドラッグも医療系の抗精神薬も一緒です。

「こんなの飲んでいる俺はカス過ぎるわ」と思えない限りは、何をやっても一緒です。

そう思えていない限り、変に口出ししないほうがいいかもしれないですね。

玄米

内海　玄米信仰も結構問題があるんです。

――ぐあいが悪くなっている人は昔から多いですね。

内海　昔はコメが宝物だから、年貢の話と一緒で、なかなか食べれない。

白米にしたほうが糠も全部とれて、味だけ出るからおいしいです。

精製しているのに近い。それで食べるという文化ができたのは当たり前であって、現代はそれが当たり前に食えるから、逆に玄米の大事さが認められるようになってきた。

ミネラル系で言うと、砒素に弱い人は玄米を食べてはいけないんです。

砒素は海藻と玄米に多い。地中からどうしても吸ってしまう。

自分の体を守るためにコメが砒素をためている。

糠の中には砒素以外にも、生きるために必要な栄養素もあれば、寄せつけないという栄養素もいろいろあるんですけど、人間はその辺を無視して、都合のいいほうだけ見る。

実際に玄米を食べて体調が悪くなる人が結構いるのです。

そういう人は砒素にやられていたり、あとは糠がかた過ぎるから無理というのもある。

糖質中毒の人は、当然コメを食べてはいけない。

みんなそういうのを全部無視するのです。手法は後回しですよ。

和食も糖質制限も一緒です。

栄養学的にも、この人でこの状態だから和食とか、草食ベースの食事が必要だ、この人はこうだから肉食系の食事をしないといけないとか、全部ばらばらですもの。
それを言うと両方から責められるから困る。
郷土料理とかを見直す流れをつくれれば、日本文化も広がりやすい。
無添加とか無農薬は、おまけだと思います。
もちろんそれを考えるのは大事です。
天然のものを食っていたら、半分以上は勝手に無農薬になる。
美食みたいなことをやっていると、理論的には社会毒から結構離れていく。
味つけだって、砂糖を入れたら甘くてきつ過ぎるので、素材の味を生かすんです。
政治家も長生きの人が多いけど、結構いいものを食っているからだと思いますね。
いいところへ連れていかれるし、酒を飲んでアーという感じでやっている。
僕は趣味のように美味しい所を探して食べ歩いている。
嫁さんが食の業界にいた人だからだと思います。
僕は研修医の1年目に出会って、2年目に結婚したんです。
○○の人で、○○の駅前に「○○」という、知る人ぞ知る超名店があったんです。
今はないけど、超ぼろい、座敷4席とカウンター4席しかない店で、てんぷらのコース4000円ちょっとぐらいです。
80歳のじいちゃんがやっているから、昔の値段のままで、とにかく安いんです。
東京で食ったら5万円ぐらいのコースですよ。
芸能人も来ていました。
そういうところに行っては、これが昔の日本なんだと思いました。

あとがき

Q：コロナとは何だったのか？

A：それは、騒ぐ必要のないただの風邪を盛大に騒ぎ、経済を止め、倒産を増やし、自殺者を増やし、人の幸せを奪い、こどもの成長を奪い、国のお金数十兆円をドブに捨て、闇の利権を増やし、ワクチン死亡者を増やし、日本人を奴隷に仕立て上げた戦後最大の過ちのことです。

この文章を、私は今後の学校の教科書に掲載するべきではないかと思っています。ナチス・ドイツの過ちを国自体が認め、後世に伝えていったように、私はこのコロナ騒動はしっかりとその効果検証をし、いかに間違えた世の中に向かっていったかということを次の世代に伝える必要があると考えています。

また、コロナだけではありません。今回の内海先生との対談でも明らかになったように、食、薬、資本、政治、あらゆる領域で日本人というものが侵略され失われていっているように感じます。そして、この流れは日本だけではありません。今回のコロナで、ワクチン接種が義務付けられた国、接種していなければ強制解雇された国があったように、世界は「命のため」という建前の中、個人を平均化し奴隷化していく流れがますます強くなっているのです。

今後、世界はコロナだけではなく、あらゆる病気・経済・紛争など、大きな事件を耳にするようになっていくでしょう。しかし、騙されないでください。わたしたち人間の尊厳は、常に戦う人たちによって守られてきました。日本人全員とは言いません。10人に1人でも、今世界で起きている侵略の事実に気付き、闘ってくれる人が立ち上がるならば、この国には希望があります。世界が混沌とカオス化していく中で、最期に立ち上がる国が「日本」になることを私は願っています。

ダニエル社長

内海 聡　うつみ さとる
1974年兵庫生まれ。筑波大学医学部卒業後、内科医として東京女子医科大学附属東洋医学研究所、東京警察病院などに勤務。牛久愛和総合病院内科・漢方科勤務を経て、牛久東洋医学クリニックを開業。その後同クリニックを閉院し、断薬を主軸としたTokyo DD Clinic院長、NPO法人薬害研究センター理事長を兼任。精神医学の現場告発『精神科は今日も、やりたい放題』（PHP文庫）がベストセラーになり話題をさらう。その後も『医学不要論』（廣済堂新書）『医者に頼らなくてもがんは消える』（ユサブル）『新型コロナワクチンの正体』（ユサブル）など著書多数。

ダニエル社長
実業家兼ユーチューバー、作家。

元楽天株式会社MVPプロデューサー。

株式会社ダニエルズアーク代表取締役。慶應義塾大学環境情報学部卒業。

渋谷を拠点に2社会社経営をする傍ら、YouTubeを中心に社会情報系の発信をしている。

YouTube「ダニエル社長の週刊ニュース」は、月間400万人以上が試聴。

SNS総フォロワー数20万人強。

コロナの闇、宗教の闇、政治の闇など、社会問題に切り込んだ情報発信は、多くの支持を得ている。

※本書は2022年秋に対談された、ダニエル社長のニコニコ動画を収録した内容を元に加筆してまとめたものです。

コロナと世界侵略
支配者のレベルでモノを見よ！

第一刷　2023年3月31日

著者　内海　聡
　　　ダニエル社長

発行人　石井健資
発行所　株式会社ヒカルランド
〒162-0821 東京都新宿区津久戸町3-11 TH1ビル6F
電話 03-6265-0852　ファックス 03-6265-0853
http://www.hikaruland.co.jp　info@hikaruland.co.jp
振替　00180-8-496587

本文・カバー・製本　中央精版印刷株式会社
DTP　株式会社キャップス
編集担当　小暮周吾／ソーネル／TakeCO

ISBN978-4-86742-228-1

ヒカルランド　好評既刊！

地上の星☆ヒカルランド　銀河より届く愛と叡智の宅配便

決して終わらない？　コロナパンデミック未来丸わかり大全
著者：ヴァーノン・コールマン
監修・解説：内海 聡　訳者：田元明日菜
四六ソフト　本体 3,000円+税

コロナパンデミックの奥底
支配する者と支配される者の歴史を遡る！
著者：内海 聡／玉蔵
四六ソフト　本体 1,500円+税

ヒトラーは英国スパイだった！　下巻
著者：グレッグ・ハレット&スパイマスター
推薦・解説：内海 聡
訳者：堂蘭ユウコ
四六ソフト　本体 3,900円+税

【新装版】ムーンマトリックス⑤
人類の完全支配の完成
著者：デーヴィッド・アイク
監修：内海 聡　訳者：為清勝彦
四六ソフト　本体 2,500円+税

ヒカルランド　好評既刊！

地上の星☆ヒカルランド　銀河より届く愛と叡智の宅配便

Amazon 本総合ランキング1位獲得！

コロナと金
単年度77兆円　巨額予算の行方
著者：ダニエル社長
四六ソフト　本体 1,700円+税